トルソー

第五号

2020.7

『トルソー』第五号　目次

〈特集・山本周五郎〉

歴史と小説の間で――山本周五郎「樅ノ木は残った」を読む……牧子嘉丸　8

「風土」と作家――『青べか物語』と「私」……堂野前彰子　22

なぜ斬ったのか――山本周五郎作『大炊介始末』……立野正裕・編　30

〈コラム〉愛のはなし――『柳橋物語』　杉田絵理　53

不確かさへの不安――山本周五郎『さぶ』……山本恵美子　54

〈評論〉

明治から令和の虚妄を撃つ――北村透谷の闘い……牧子嘉丸　114

〈紀行〉

私の見たスペイン――『誰がために鐘は鳴る』からの出発……杉田絵理　84

〈トルソー〉

口舌の徒……立野正裕　4

善き羊飼いの教会――表紙解題として……竹地　冬和　60
愚者への憧れ　ほか二編……竹地　冬和　96

〈エッセイ〉
橋本治はおれの何なのさ……野田光太郎　78
映画『家へ帰ろう』を観て――責任を負うということ……堂野前彰子　102
母なるものの聖なる羞恥――読書ノートから……梅川　俊平　112

〈万葉のうた〉
大宰府と「梅花の宴」……堂野前彰子　62

〈連載第二回〉
忘れ得ぬ人々　物語に魅せられて……立野　正裕　72

〈書　評〉
戦争の時代の百年を問う一冊――立野正裕著『百年の旅』……山本恵美子　107
〈コラム〉『僕たちは希望という名の列車に乗った』　83／ノートルダム炎上　95
《眸のひらめき》お市　71

編集後記　127

〈トルソー〉

口舌の徒

立野正裕

大量の人間が殺し合いを繰り返した両大戦の戦場跡に立ち、風に吹かれていると、奇妙な感じに見舞われる。

いっぽうで人類の途方もない愚行の跡に自分は立っているという圧倒されるような思い。

他方では人間の偉大な要素、たとえば自己犠牲や勇敢さがまさにこの場で発揮されたにちがいないという畏敬の念。

人は運命と言う。それは確かに個人の思量など歯牙にもかけない非情な力ではある。

にもかかわらず、文学は、「運命」に見込まれていながら、それを個人の主体のとうてい及ぶところでないとはついに考えない。

エドガー・ポーの小説にそういう主体の抵抗が見て取れる。またハーマン・メルヴィル、ジャック・ロンドンの小説しかり。

日本では埴谷雄高、花田清輝、大西巨人の文学のすべてがそうだ。

それどころか、これまでわたしが拙著に取り上げ、場に応じて論じてきたほとんどの作家、どの作品にも共通して言える。

五体はたとい敗北し去るほかないとしても、その人間のなかのなにかは生き延びるのだ。

集団的で没個性的な現代戦においてすら、人間はなにものかであることが出来る、とドイツの作家エルンスト・ユンガーは考えた。

わたしは自分の思考をあえて「塹壕の思想」と呼ぶ。

打ち続く砲撃のさなかに、塹壕のなかでシェルショックの瀬戸際にいる兵士たちと、すさまじいストレスに曝されている現代の人間。

両者には共通点がある。自閉症やうつ病は現代のシェルショックなのだ。

どうやって立ち向かうかを日夜考えなくてはならない。

わたしの対処法は明確だ。古くて新しいものだ。

エドワード・サイードが言ったproductive anguishがそれである。

創造的憤怒。すなわち人間を無力化するものに対する創造による怒りの表明。

通常は、がまんにがまんを重ねて、ついに武器を取って立ち上がるという図式となる。

だが創造的憤怒はちがう。それはいわばシェヘラザーデの方法なのだ。

あすのいのちを長らえるため、物語の持つ力を執拗に発揮し続ける。

それが塹壕のなかからのわが抵抗思想の表明にほかならない。

かつて黒死病の恐怖とたたかうため、洞窟にこもって物語を十日のあいだ語り続けた『デカメロン』の人々のように。

かつて防空壕のなかで、空襲に怯えるわが子に向かってひたすらお伽草子を語り続けた「デカダン」作家のように。

そして奇想天外な物語を千夜と一夜語り続け、とうとう根深い不信の壁を王の胸から突き崩したシェヘラザーデのように。

つまり、徹底して何処までも執拗に、快活に、口舌の徒であり続けること。創造的憤怒の表明とは、これに尽きる。

〈特集・山本周五郎〉

歴史と小説の間で

――山本周五郎「樅ノ木は残った」を読む

牧子 嘉丸

1

中国由来の成語に「棺を蓋《おお》いて事定まる」という言葉がある。人間の真価は棺のふたを閉じてようやく決まる。生前にくだされるのは、かりそめの評価にすぎぬというのである。しかし、二十一世紀の今日、歴史上の人物の評価が変転するのを私たちは知っている。

生前は天を仰ぎみるように、称えられ賛美された指導者も、死後独裁者として暴政が暴かれ、その銅像が打ち倒される光景をいくつも見てきた。また後世の史家によって、生前の汚名が晴らされた権力犯罪の犠牲者も少なからず知っている。私たちはこの成句につづけて、「されど覆ることはなはだ多し」とでもつけくわえるべきかもしれない。

黒白《こくびゃく》をつける、白黒をはっきりさせる、とは物事の理非をあきらかにすることをいうが、私はこうした黒白つかぬ歴史上の有名無名の人物に光をあてるのも、文学の役割だと思うのだがどうだろう。

歴史上の事件や人物における逆転劇に文学の果たす役割は大きいものがある。通説をひっくり返す歴史小説はめずらしくないし、またそれが書かれてこそ作品の価値がある。新しい歴史の発見であり、人物の新解釈である。

ここでいきなりだがリチャード3世なる人物をあげてみようか。英国の複雑な薔薇戦争の歴史など何一つ知らない人でさえも、たちまちその恐ろしげな面貌や「ノートルダム」のカジモドのような姿がよみがえり、あの醜悪で残忍な悪人・悪党として思い浮かべることができるだろう。

これはシェークスピア史劇の影響であることはいうまでもない。それほど舞台冒頭に登場する奇怪な印象と毒々しい台詞は忘れがたく、強烈である。同じようにシャイロックによって冷血な金貸しというユダヤ人像が、またオセロによって嫉妬深い愚かな黒人というイメージが定着したといえばいささか言いすぎだろうか。

しかし、ここに英国女流作家ジョセフィン・テイによって書かれた「時の娘」という作品がある。これはリチャード3世が世に喧伝《けんでん》・伝承されてきたような悪人ではなかったとして、時空を超えた一種の探偵・推理小説の手法で、通説に挑んだ歴史ミステリーである。言うならば、シェークスピアによって描かれたリチャード3世の真実の姿を見ようとしたもうひとつの文芸作品である。

もちろん、シェークスピアはどんな人物も善悪だけの一面的・表面的な描き方はしてはいないが、作家の真意を離れて俗流の解釈が流布することは世の東西を問わない。

わが国でも、たとえば道鏡といえば、孝謙天皇を誘惑し、帝位を簒奪《さんだつ》しようとした悪僧、破戒僧と相場は決まっている。そして、必ずこの女帝籠絡の性的逸話がひそひそと付け加えられた。その身体的特徴は誇大に古川柳や狂歌に読み込まれ、面白おかしく言い伝えられてきたのである。私もまたこの俗説に囚われてきた。坂口安吾の「道鏡」を読んで目の覚める思いをするまでは。

これは四十ちかくまで本当の恋を知らずに過ごした女帝と異性に目覚めた若き僧との哀しくも純粋な愛の物語である。安吾によって世情の俗悪・淫奔な噂で覆われた伝説から、ふたりの清浄で美しい純愛が掬いだされたといっていい。汚濁のなかから清水を汲みだしたというべき心うつ名篇である。

私は道鏡という人物の歴史的位置づけは知らないが、人間道鏡はまさに描かれた通りだろうと思う。孝謙天皇そのひともまた。これは人間の真実の愛情を、権力欲やただ性愛としか解釈できない俗情に対する痛烈な批判にもなっている。ひとのことでなく、まさに自身の通俗・低俗史観を痛感させられたのである。

私は「時の娘」が本場英国で果たしてどれほど通説を覆したのかわからない。この「道鏡」もまたどれほど人物の新生面を描いたのかも寡聞《かぶん》にして知らない。ただ作家の空想・想像の産物にすぎないかもしれないし、所詮は小説の作り事として歴史家から一蹴されるのが落ちなのかもしれぬ。しかし、ここに見事に歴史の逆転劇を描いて世評を高からしめた作品がある。山本周五郎「樅ノ木は残った」である。

2

この「樅ノ木は残った」は、仙台伊達藩六十二万石のお家騒動に材をとったものである。あの歌舞伎の「伽羅先代萩」でひろく知られてきた、と前置きするのがこの作品紹介の常套なのだが、いまどれほどの人がこの芝居の内容を知っているだろうか。これを「めいぼくせんだいはぎ」と読める人もまた。かくいう私もそうであったのだが。この「先代萩」がまず一般的に流布していた前提で成り立っている。この芝居は、わが子千松を毒味役にして若君を守る乳母政岡と幼君暗殺を狙う仁木弾正《にっきだんじょう》との忠不忠の対照が見所である。

舞台はわが子千松の亡きがらを抱いて「でかしゃった、でかしゃーった」と政岡がかき口説いて、かつては女性客の紅涙をしぼったという名場面が一転して、花道からどろどろと敵役弾正がせり上がって登場する。なるほどこれを歌舞伎ですっぽんとはよく言ったものである。白塗りに隈取りをした凄い形相で額にはさっき打たれた血が滲んでいる。

「四谷怪談」の田宮伊右衛門は色悪《いろあく》という女たらしの悪党だが、この弾正は実悪という正真正銘の悪人である。前段で毒殺の露見を恐れて千松の首にとどめを刺した上臈八汐は妹で、まさに兄妹そろっての悪の権化という設定である。場面は一気に緊張・凝縮して、何とも言えない悪役の色気が漂う。序段政岡の女の世界から、男どもの世界に転換する。やがて舞台は評定・対決・刃傷とすすみ、お家乗っ取りを謀る不忠・佞臣ぶりをみせてついに果てるのだが、この仁木弾正こそが伊達家重臣原田甲斐を極悪非道の国崩《くず》しとして人々に長く印象づけることになったのである。

内容の真実はともかく実によく出来た芝居で、政岡の忠義と弾正の不義不忠という単純な対比を見せながら、忠義の裏の葛藤と不忠にひそむ悪の魅力を描いている。江戸時代の初演以来、多くの観客を得てきたゆえんであろう。人々はこの芝居で仙台藩のお家騒動を知り、「先代萩」の人気が伊達騒動を有名にしたのである。

よく知られているように江戸時代の三大お家騒動とは、黒田騒動・加賀騒動そしてこの伊達騒動をいう。騒動の原因はそれぞれ時代や事情に違いこそあれ、いまの言葉で言うならば「コップのなかの嵐」であり、所詮《しょせん》が内紛・派閥争いである。しかし、現代社会においても、小は一家・一族から大は財界・官界・政界に至るまで、人間が群れをなす限りこの嵐はおさまったことはない。平穏にみえて、その実嵐の前の静けさであり、突如嵐が吹き荒れ、やがて何事もなかったかのように過ぎ去っていく。この過程で必ず犠牲者が必要なのである。「悪人」という生け贄《にえ》が。

黒田藩の栗山大膳、加賀藩の大槻伝蔵、そしてこの原田甲斐がそうである。黒田と加賀の両騒動は、どちらも藩主が身分卑しきものを家臣として取り立て、側近・近臣として寵愛《ちょうあい》したことに端を発している。栗山大膳はこの偏愛された側近による専横・邪道が藩政を危うくするとして、幕府に黒田藩主を訴え出た。また足軽の子として末端の序列からとりたてられた大槻伝蔵は、能吏として藩政改革をすすめ出世するのだが、これが旧来の家臣・老臣から嫉視・反発され、ついに失脚させられる。前者は側近による僭上《せんじょう》沙汰《ざた》が忌避にふれ、後者は近臣の恪勤《かっきん》精励が反感・嫉妬をうんだのである。

しかし、栗山大膳は大胆に幕府に訴えて黒田藩を救った忠臣と高く評価され、大槻伝蔵も讒言《ざんげん》・中傷により失墜した悲運の人物として冤《えん》を雪《そそ》いでいる。ここに伊達の原田だけが不忠か忠義か、乱心者か忠孝の士か、悪役か善玉かと評価がわかれてきたのである。

この論議を決定づけたのが山本周五郎「樅ノ木は残った」なのだが、あくまでも小説世界のことであって、歴史家からだけではなく作家からも疑問を呈する意見があ

る。いまは性急に答えを求めてその議論に立ち入らず、原田甲斐がどう描かれてきたか。私が目にしたいくつかの作品を、年代順に並べてみよう。長谷川伸「原田甲斐の子」（大正12年）、直木三十五「原田甲斐」（大正13年？）、真山青果「原田甲斐の最期」（昭和6年）、中山義秀「原田甲斐」（昭和27年）の四作品である。これに番外として志賀直哉の「赤西蠣太」（大正6年）をあげてもいいだろう。

これらの諸篇は甲斐を忠臣とまでは言い切らないが、悪役説はとっていないこと、みな短編であることが特徴である。その他に村上浪六による長編があるのだが、山本周五郎は当然、それを含めこれらの作品を読み、またその他歴史書や参考文献・資料に目を通していたことだろう。実地踏査や古老の聞き語りにも熱心に耳を傾けている。何十年とこのテーマを抱懐してきた周五郎は、まさに技癢《ぎよう》を感じながら構想を温めていたにちがいない。昭和29年（1954年）7月から満を持して書き始められることになった。掲載紙は日本経済新聞であった。

3

山本周五郎は新聞に連載にあたって作者の言葉をこう記している。

「かってそこにも一人の人間がいた。彼は、強権と我欲と陰謀から主家の崩壊を守るために、身を捨てて苦心経営し、危うくその目的を達したが、彼とその家族（母、妻、子たち）は奸賊の名によって罪死した」

この「強権」とは幕府老中酒井雅楽頭であり、また幼君の後見役として、藩政をほしいままにする伊達兵部の権力支配である。「我欲」とは伊達藩内部での金山・領地・名聞をめぐる利欲に固執する勢力争いであり、「陰謀」とは主家失脚の企みや歌舞伎にも材をとられた幼君毒殺計画であり、またその露見を恐れての内部粛清である。この強権・我欲・陰謀の裏に必ずひかえているのが、黒い暴力の手なのである。原田甲斐は徒手空拳でこれと闘う。彼は一度も刀を抜かない。その武器はただ警戒心と忍耐だけなのである。「戦争論」の著者クラウゼビッツに「周到な用心深さは単に用心深いというだけでなく、やはり芯が勇敢なのである」という言葉があるが、これほど甲斐の生き方を象徴しているものはない。

作者の言葉はつづく。「彼は名門に生まれたが豪勇烈士の類ではなかった。酒を飲み、女を愛し、美食を楽しむことを知っていた。彼には逸話は残っていない。ただ一つ彼は一本の樅ノ木を愛した。それは芝増上寺の塔頭「良源院」の庭にあり、明治中期まではそこに立っていたという。――彼は伊達陸奥守の家臣で、名を原田甲斐宗輔といった」

先に挙げた諸短編と決定的に違うのは、逸話のない歴史上の人物の内面をこれほど深く掘り下げ、その姿を刻みつけたことである。その人物造型において、もはや忠臣とか悪臣とかではない、ひとりの人間原田甲斐がここに描かれているのである。

さてこの小説は、万治三年七月十八日老中酒井雅楽頭《うたのかみ》の邸に出頭した伊達家の六人に藩主不行跡によって逼塞《ひっそく》が申し渡されるところからはじまる。藩主は二代藩主伊達忠宗の六男綱宗である。まだ家督を譲られたばかりの二十歳すぎの若殿であった。そして、翌十九日、綱宗側近の坂本八郎左衛門、渡辺九郎左衛門、畑与右衛門、宮本又市が次々と斬られる。

それから十年余が過ぎた寛文十一年同じく酒井邸で原田甲斐をはじめ伊達安芸《あき》らが斬殺される。この小説は藩主を堕落させた君側の奸への上意討ちで始まり、甲斐の乱心・狼藉《ろうぜき》として伊達家の面々が酒井家家臣に討ち取られて終わる。暴力で幕が開き、また暴力で幕を閉じるのである。これは血なまぐさい発端と結末の間の表向き平穏を保った時期の物語である。

この小説に伊達藩内で唯一奔放に生きる伊東七十郎と

いう無役の武士が登場する。愚直だが正義感の強い人物で、煮え切らぬ甲斐にむかっても直言する男である。その伊東七十郎が綱宗側近を上意討ちした暗殺者にむかって、こう面罵する場面がある。

「きさまは相手の罪科を知らず、自分には斬る理由もなく他の扇動に乗ってすぐに人を斬る、こういう人間を屠殺者というのだ」

この暗殺者たちは上から佞臣《ねいしん》と言われればお家のために身命を捨てて誅殺《ちゅうさつ》する。

「——こいつらはまじめだったんだ。それが危険なんだ、と七十郎は思った」

しかし、その七十郎もまた身命を捨てて宿敵を討とうとするが果たさず、悲劇的な最期を迎えることになる。

ここには5・15事件、2・26事件とつづく暗い昭和十年代に青春を過ごした作者の思いが反映していないだろうか。相手の罪科はもちろん殺す理由も知らず、ただ扇動に乗って「問答無用」と要人を暗殺した青年将校や下級兵士たちと同じことであろう。この黒い暴力の手はやがて国内から国外へとむけられていく。

血なまぐさい暴力の陰には、必ず使嗾《しそう》・教唆《きょうさ》する者がいる。伊達藩内上意討ちの背後には開祖政宗の十男兵部宗勝がいる。四代目亀千代の大叔父であり、幼君の後見人である。この伊達兵部は立場を利用して、幕府の老中酒井雅楽頭忠清と仙台藩六十二万石の分割を密計している。同時に酒井は同じ老中久世《くぜ》大和守をして、この秘密を伊達家の国老に囁《ささや》かせる。老中酒井は一方で兵部と謀り、片方でそれを対立する重臣にも洩らしているのだ。

甲斐は知恵伊豆こと松平信綱以来の外様大藩取り潰しの遺志を酒井が受け継いでいると見抜いている。酒井の狙いは伊達藩の攪乱《かくらん》・不和・疑心暗鬼を助長させることにある。原田甲斐は伊達兵部に与《くみ》することで、その企てを阻止しようとするが、酒井も兵部も決して甲斐への警戒と監視を怠らない。甲斐はこうした窮境におかれている。

4

この長編は決して易々《やすやす》と読めるような作品ではない。まず、登場人物の多さとその関係の複雑さに戸惑い、伊達一門の名称と一ノ関、船岡など領地名による呼称にも困惑するだろう。伊達騒動の歴史的背景や江戸時代の制度・諸式・法度の用語や意味も難しい。

ひとつ大事な例をあげると、「目付役」という武家の職名があり、「大目付」は江戸幕府の老中直属で諸大名を監察する。また藩にも目付がおり、藩内の不行跡《ふぎょうせき》を監視・探索する。幕府は徳川家安泰のために公安警察のように諸藩を見張っており、諸藩は領国内の不正財政や犯罪を検察・警察のように目を光らしている。とくに伊達藩で後見人の立場を利用した伊達兵部によって、この目付の権限が過度に認められていた。これが伊達騒動の原因ともいわれるのだが、警察組織を背景にした権力者が、かつそれをより強大なものにして体制の維持・拡大を図ろうとする構図は時代を問わない。

トロイの発掘で有名なシュリーマンに「清国・日本」という旅行記がある。幕末日本の諸相を伝えて面白いが、この異国人に要所でつきまとう「目付」をはっきりスパイと書いている。そして、日本人の本音でものを言わない性格は、「目付」を恐れてのことであると感想を記している。この日本人論が正しいかどうかはわからないが、主人公原田甲斐の韜晦《とうかい》・深謀遠慮にはあてはまる。甲斐は老中酒井からも、また藩内の権力者伊達兵部からも目を付けられているのである。まず、この立場を知っておかないと、読者もまた甲斐にたぶらかされることになる。

前半第一部に逼塞を命じられた三代藩主伊達綱宗に暇乞いに行く場面がある。失意で酒に溺れる日々を送る綱宗は頼みに思う甲斐にこのときとばかり思いの丈をぶちまける。父親の愛を得なかったこと、酒や郭通いの不行跡もみな重臣たちが唆したこと、そしてそれらすべてが裏で糸を引く伊達兵部の策略であることを唯一の理解者であり、同情者であるはずの甲斐にむかって切々と訴える。しかし、甲斐は眉ひとつ動かすことなく、冷然と聞き流して全く応じない。業を煮やした綱宗は酔余のあげく、酒杯を投げつけ、甲斐に斬りかかる。

「『おれは、まだ二十一だ』と綱宗は云った。『おれはまだ、二十一だぞ、甲斐、わかるか、おまえにわかるか、世に出たのは僅か二年たらず、この年で、これからさき、ずっと、ひかげの身でくらさなければならない、この気持がわかるか』」

悲痛な若者の叫びにも甲斐は黙って答えない。彼が本心を吐露するのは綱宗のもとを辞去してからである。

「駕籠《かご》に乗ってから、甲斐はふところ紙を出し、それで眼を押さえた。駕籠が下屋敷の門を出て、すっかり黄昏れた街を、四五町ばかりゆくあいだ、懐紙で眼を押さえたまま、彼はじっと息をひそめていた」甲斐もまたじっと息をひそめて生きなければならないのだった。

この長編の構成でいささか唐突に感ずるのは、「断章」として挿入される会話である。最初は誰と誰との会話なのか明らかではないが、やがてこれは伊達兵部への間者の報告であることがわかる。計十五章のこの「断章」は、作品展開を背景から暗示し、兵部対甲斐の息詰まる暗闘劇とも読める。兵部は甲斐への警戒を決して解かないし、甲斐は表に恭順を装って兵部に一分一厘ともつけいる隙を与えない。

綱宗の下屋敷を訪れたとき、甲斐は本邸詰の目付になっている今村善太夫という若侍を見つける。そして、すぐさま兵部の差し金であると直感する。

「――低いところから、水がしだいに土地を浸してゆくように、じりじりと、一分、二分ずつ、眼につかぬちからで、兵部はその手をひろげてゆく。

いま甲斐には、それが眼に見えるように思えた」

だからこそ、甲斐は押し込められた若き藩主伊達綱宗がどんなに悲痛な叫びをあげようと、絶対に応じてはならないのだった。

「目の前に現存しないのに必ずそこに動いている巨大なもの、それは権力である。闇のなかから鉤《かぎ》がでてきて一人の男をつりあげ消え去ったとすれば、それは権力が動いたのである。そこには奥の見えぬ闇の恐怖がある」

まさに甲斐はこの恐怖のなかにある。そしてまた、

「これまでの政治の意志もまた最も単純で簡明な悪しき箴言《しんげん》として示すことができるのであって、その内容は、これまでの数千年のあいだつねに同じであった。

やつは敵である。敵を殺せ。

いかなる指導者もそれ以上卓抜なことは言い得なかった」という状況に置かれている。

私はこの小説を読むまで、埴谷雄高のこれら有名なアフォリズムや政治論文「政治のなかの死」の一節も観念的・抽象的な空論としか見えなかった。しかし、甲斐はその正体が知れたとき、権力の鉤につるされるのである。「甲斐は敵である。甲斐を殺せ」と。

5

作者は主人公原田甲斐を政治的心理戦の密室にばかり閉じ込めてはおかない。そこから解き放して、故郷の山野に放つことも忘れない。江戸から領地船岡に戻ると、すぐ山小屋へ入って猟の支度をする。「くびじろ」という大鹿を追うのである。

「山へこもるとまるで野人のように変わってしまわれます」と長く仕える小屋番はいうが、しかしそれこそが甲斐の真の姿なのである。甲斐はくびじろの情報を得て、阿武隈川を渡ると予測し、雪中のなかまずは腹ごしらえをする。そのとき、こう独白する。

「――おれは間違って生れた。

と甲斐は心のなかで呟いた。けものを狩り、樹を伐り、

雪にうもれた山の中で、寝袋にもぐって眠り、一人でこういう食事をする。そして欲しくなれば、ふじこやなをこのような娘たちを掠《さら》って、藁堆《わらにお》や馬草の中で思うままに寝る。それがおれの望みだ、四千余石の舘も要らない。伊達藩宿老の家格も要らない、自分には弓と手斧と山刀と、寝袋があれば充分だ。

——それがいちばんおれに似あっている。

そのほかのものはすべておれに似あわしくない」

このあと、くびじろと対した甲斐は弓で射損じて、逆にその大角で跳ねとばされ肋骨を折る。これはすぐさま間者によって、兵部に報告される。

「『あの男が鹿の角にかけられたというのは面白い、いつもとりすました、煮えたか焼けたかわからないあの男が、ははは、ばかなやつだ』

——いかにも。

『ばかな男だ、こんど会ったら顔を見てくれよう、ともあろうに鹿の角にかけられるとは、ははは』」

権謀術数に明け暮れる伊達兵部には、甲斐がなぜ野生の大鹿と一対一で向き合い、命をかけてしのぎ合うのか理解できない。まして、伊達六十二万石の安泰のために身命を賭す覚悟と勇気もまた。

作者は広瀬川で釣りをしていて川の主である鯉に引き込まれ、あやうく溺死しかけた甲斐の少年時の回想を織り交ぜることも忘れない。それが自然との交感のなかに育ってきた人物の造形を奥行き深くする。その象徴が樅ノ木への愛着であることは言うまでもない。

人物像はまた原田甲斐というひとりの男をとりまく幾人かの女性を描くことでより深められている。この小説は男たちの政治的権力争いが主要なテーマだが、同時に様々な女性像も作品の大きな魅力になっている。それにふれなければ、この作品を半分も論じたことにはならないだろう。作品に登場する主な女性は、甲斐の妻である律、江戸湯島の別宅で甲斐の世話をするおくみ、上意討ちに遭った伊達家家臣畑与右衛門の娘宇乃、それから浪人柿崎六郎兵衛の妹みやである。

甲斐とはそれぞれの因縁で結ばれ、その運命を翻弄される。妻律は理不尽な離縁を恨み、おくみは甲斐の愛情を信じ得ず、宇乃はひたすら慕いつづける。囲い者となっていたみやは酒井雅楽頭邸で上女中となって、密約の証文を盗み出させることに使われる。

この作品はのちにNHKの大河ドラマになるのだが、このとき宇乃役を演じた吉永小百合の人気もあって、どうしてもこの可憐な少女にだけに目がいきがちである。作者自身の「甲斐と宇乃の恋愛小説として書いた」という証言もあるだけに、それは間違いではないだろう。

しかし、両親を斬殺された孤独な少女への父性愛から男女の精神的な愛情へと昇華していくふたりの美しい物語のみに目を奪われてしまうと、甲斐という男の複雑な内面を見誤ってしまう。彼は若き藩主綱宗の血の出るような叫びも平然と聞き流す男である。家臣に対して幼君を守るために毒味役を頼むことも厭わない。その冷酷非情さが女に対してむかわないはずがない。

私がこの女性像の描き方で、最後まで腑に落ちなかったのは、正妻だった律への処遇である。ここに登場するどの女性も性愛を男女の当然の愛情表現としてうけとめているのが特徴であるが、この妻も例外ではない。どころかやや性的欲求が過剰のように描かれていて、それが家臣との姦通を引き起こしたのか、起こさなかったのか不明のままである。妻の過失が離縁の原因なのか、甲斐と律の夫婦関係が、なぜかはっきりとは描かれていないのである。

律は伊達家重臣である茂庭《もにわ》佐月の娘であり、友人茂庭周防《すおう》の妹である。律との離縁は伊達兵部と対立する茂庭家との離反という政略的な意味をもつ。より兵部に与《くみ》し安心を得るための偽装的な離別であったのか、その口実としての姦通の風評をわざと企んだのだろうか。

この長編小説はほぼ完璧と評される作品だが、唯一の瑕疵《かし》として、この甲斐と妻律の関係の不明さを挙げる人もいる。

山本周五郎には「おさん」という短編があって、互いに愛し愛されながら、その性的絶頂時に他の男の名を叫ぶという性癖を持った女を描いている。男は疑い苦しみながら、おさんのもとを去るが、なお諦めきれない。おさんもまた男を愛しながら、淋しさから男性遍歴を重ねて、悲劇的な最期を迎えることになる。

これなどは男女の愛の不可能を象徴していると読むべきなのか、どうか。周五郎作品に出てくる女性は陰影に富んでいる。宇乃との純愛の裏に、律に対する甲斐の心には複雑な翳りがある。しかしこれ以上は無闇な詮議はやめて、描かれたままに受け止めたほうがよさそうだ。謎のない作品に傑作はない。謎は瑕疵と紙一重である。

この作品は政治的窮境におかれて葛藤する主人公を、あるときは自然のなかで解き放し、またあるときは男女の愛憎にまみれさせながらその人間心理の謎をも描いている。ほとんど逸話のない歴史上の人物をこれほどの想像力で造形したことはまさに驚嘆に値すると言えるだろう。

6

この作について、尾崎秀樹は「山本周五郎の代表作であるだけではなく、戦後の歴史文学にもエポックを画す作品となった」と高く評価している。たしかに名高い小説ではあるが、ただ尻馬に乗って賛辞や称賛をくりかえしてもつまらないし批評にもならない。ここでは、いくつかの批判も見てみよう。例えば、海音寺潮五郎は「列藩騒動録」のなかで伊達騒動をとりあげてこう書いている。

「昭和四十五年のＮＨＫの連続テレビ劇『樅ノ木は残った』によって、新しく伊達騒動が、人々の心理にクローズアップされた。劇は、この事件を江戸幕府の伝統的方針であった外様大名取潰し策によって解釈しているが、幕府のこの政策はこの一時代前までのことで、この時代にはもう考えられないことである」

つづけて、海音寺は外様大名でも新興と旧来の地生へ大名をわけて、前者は取り潰せても後者にはうっかり手が出せなかったとして、この解釈には従えないと言明している。私は海音寺が原作にふれずテレビ劇についてだけ批判しているのは、先輩作家への礼からだと最初は思っていた。

しかし、作品が映画やテレビでドラマ化されるとき、原作がどう脚色・潤色されるか知らない海音寺ではないだろう。この批判は枝葉末節な部分ではなく、時代設定への重大な疑義であり、作品の根幹部・主筋への批判である。

もちろん、そういう疑問・批判があってもいいのだが、それなら脚色化されたドラマではなく、原文・原作に依拠するのが当然である。これでは先輩への礼どころか礼を失している。海音寺はひょっとしたら原作を読んでいないのではないか、と私は思う。なぜなら、原作にこういう箇所があるからだ。

甲斐は伊達家家臣だったが、いま落魄《らくはく》し目の光りも失った里見十左衛門という老人と再会する。そこではじめて本心を吐露する場面である。老中酒井の狙いを尋ねた十左衛門は、甲斐から仙台六十余万石の改易だと聞くと、思わず「この太平の世にですか」と驚き怪しむ。

「『権力は貪婪《どんらん》なものだ』と甲斐は答えた。『必要があればもとより、たとえ必要がなくとも、手にいれることができると思えば容赦なく手に入れる、権力はどんなに肥え太っても、決して飽きるということはない。慶長以来、幕府がどういうふうに大名を取潰して来たか、いかに無条理で容赦がなかったか、ということを考えてみるがいい』」と甲斐は説く。

酒井は伊豆守松平信綱の遺志を継いだものとみて、「ここでもし伊達家改易に成功すれば、加賀、薩摩にも手を付ける事に違いない、少なくとも、二大雄藩の頭を押さえるだけの収穫は充分にある、そう思わないか」

私などはすぐ「思います」と答えそうになるが、これなどは海音寺の疑問をあらかじめ予想していたとも言える。海音寺は歴史を見、周五郎は人間を見ている、といったらこの両大家にそれこそ礼を失することになろうか。しかし、この権力への洞察はそれを司る人間の心理を射抜いている。ここで思い出すのは明治四十四年に二十四名もの死刑判決を出した大逆事件である。これなどは警察・司法官僚が栄達・出世のために事件を拡大しデッチ上げて、権力の意志に迎合・忖度・追従した結果である。山県・桂ら肥え太った権力者も決してその貪欲な野望に飽きることはなかった。まさにこの事件は権力の貪婪さが、韓国併合という朝鮮侵略にむけて引き起こした予防反革命であった。

さて、歴史家のなかにもこの作品に対する批判は当然ある。小林清治「伊達騒動と原田甲斐」という本もそうである。著者は奥羽社会の歴史に精通し多くの業績を残された学者で、篤実・真摯な研究家として知られた方であった。この本も実に丹念に「伊達騒動」の真相を読み解き、史実に迫る名著である。

このなかで山本作品についての批判を二つ挙げている。ひとつは老中酒井は伊達兵部・原田甲斐の一味の支持者で、酒井と甲斐の間に対立・対決などという緊張関係はなかったこと。もうひとつは種々の根本資料から、甲斐が最初に刀を抜いたことは明らかで、酒井家の家来の手で斬られたのを乱心・狼藉で自身の刃傷沙汰にしたてかえたという小説の構造は到底認められない、という二点である。一点目は私には不明だが、二点目は大いに納得できる。いきなり太刀を浴びて、瀕死の重傷を負いながら、すぐさま己の乱心のゆえにしたというのは解せない気がする。それともこの事態を予測し、覚悟を決めていたと読むべきだろうか。私が最も理解できないのは、清水三十六《さとむ》の少年時代から原田甲斐は忠臣であること、いつかそれを小説に書きたいと願っていた周五郎が、専門家はもちろん郷土史家や好事家、もっと言えば私程度の読者でさえ当然抱くこれらの疑問に気づかぬはずはない、ということである。

7

先にもふれたが、山本周五郎「樅ノ木は残った」が評判になり全国的なブームにもなったのは、平幹二朗、吉永小百合らの共演によるＮＨＫ大河ドラマとして放映されたからである。これに関連して、こんな回想がある。

原田家の領地があった船岡在住で、作品の取材に同行・案内した大池唯雄という直木賞作家がいる。この作品の背景を知る人として、度々人から引き合いに出されるが、テレビ放送されると、必ず「よくわかりました。原田甲斐は忠臣だったんですね」といわれて、返答に窮したという。小説をそのまま史実と思いこむ読者が多いのに驚いて、それを作者に伝えると、

「山本さんはちょっと改まった態度で、まじめに、『わたしもあれが史実だと思っています』といわれた。この答えは私にはいささか意外なものだったので、ここに記録しておきたい」

大池さんは二度驚かされたのである。周五郎は昔「曲《きょく》軒《けん》」と綽名されるほど、偏屈のへそ曲がりではあったが、傲慢な人柄でも思い上がった性格でもなかった。ただ思いこみの激しい人であったらしく、いったんこうと思いこむとどうしても改めなかったという。松本清張にもそういう一面があって、若いときに苦労した人の特徴かもしれない。大池さんは「それくらいの確信がなかったならば、これほどの作品は書けないのだということをしめしているように思われる」と付け加えているが、清張さんにも言えるだろう。

また「歴史と文学」という有名な講演で、山本周五郎は己の文学観の精髄を語っているが、なかにこういう一節がある。

「私は思うのでありますが、田沼（意次）の悪徳をあばきたてている資料自身が、それが嘘であることを物語っているんではないか。

『樅ノ木は残った』における原田甲斐の解釈でも、私は決して異説をたてようとしたのではありません。あの小説の背景をなしている寛文事件――俗に伊達騒動とよばれております――あの事件については、殆どの資料を精密に調べつくした、と断言できると思っておりますが、幕府に一貫して流れていた基本政策というものは、家光以来の大藩取り潰し政策であり、酒井雅楽頭の術策におどった伊達兵部の陰謀と、壮烈と反骨を好む仙台人の特異な気質が、あの悲劇をつくりだした。兵部を除いては、忠臣も悪人もおらないのである。平凡に、安穏に生きることを願っていた原田甲斐が、その事件の渦中に次第にまきこまれてゆきながら、なおかつ、彼が一個の人間として誠実に生きぬこうとした人生態度。その態度に私は惹かれたわけなんですけれども、これは、資料を忠実に

読みさえすれば、自然にうかびあがってくる甲斐の人間像である筈なんであります」

清水三十六少年は甲斐は悪臣ではないと、子ども心に思ったのであろう。それから、三十年余の歳月を閲して、資料を精密かつ忠実に読み込み、確信に変わったのだ。歴史のなかに文学はなく、史料を並べただけで小説はできないと言い、小説と歴史は画然と別個のものだとも述べている。

では、この文学観はどういう歴史観に根ざしているのか。「歴史というものは、概括して、そのときの政治のかたち、ないしはそのときに政治を左右する権力のあり方によって、修正されたり、改竄《かいざん》されたり、ある場合には抹殺されたり、捏造されたりするものと思います」

だからこそ文学は、権力や政治のあり方とは切り離して、歴史的事件の渦中にいた人物の人間性を追究して、そこに何かしら真実を見出そうとする活動が根底になっていると説く。抹殺され、捏造・改竄されてきた「伊達騒動」の歴史から、人間原田甲斐の真実の姿を描き出したのが「樅ノ木は残った」であった。何か言われると、「それは小説上のことで」などと逃げを打つような作家にろくなものは書けまい。自分が書くものが史実であり、真実なのだという確信と気迫なくして、どうして人の心をうつ作品ができようか。周五郎はまたそう教えているようにも思うのだが。

私はぜひ多くの人にこの人生の書を手にとってほしい。各界各層の諸人物が入り乱れて、筋が錯綜するようにみえるが、作品と呼吸が合いだしてそのリズムに乗れば、一気に物語の世界に突入できるだろう。ややこしかった人間関係もほぐれだし、それぞれが個性を帯びて立ち回る。そして、いつしか人物に感情移入している自分に気づくであろう。困難は最初だけである。大丈夫、何度も突入に失敗して跳ね返されてきた私が言うのだから間違いない。高く険阻な山ほど、登り切った達成感は深く、大きい。多くの読者にその素晴らしい眺望をぜひ味わってほしい。この一文がそのきっかけになれば幸いである。

〈特集・山本周五郎〉

「風土」と作家

――『青べか物語』と「私」

堂野前彰子

一

　私の父は、休日ともなれば、布団に小説を持ち込んでずっと読んでいるような人だった。読むのは小説に限らず、歴史もの、哲学書、ノンフィクションなど手当たり次第で、私は幼い頃から父の書棚をのぞいては、自分に読めそうなものを手にとって読んでいた。小学生には無縁な北杜夫や井上靖を知ったのもその書棚であり、高校生になって塩野七生に夢中になったのも、その中の一冊がきっかけだったように思う。

　母はまったく本を読まない人だったので、書棚に入りきらない本を紙袋に詰めて押入れにしまっていた。本好きの来客があるとそれを出してきて、お好きな本があればどうぞ、と持ち帰ってもらうようにしていた。母にとってハードカバーの本はそれなりに価値があるように見えたらしく、袋の中は文庫本ばかりだった。さすがに母も名を知っているような純文学はなく、もっぱら推理小説だった記憶がある。その中に、水色の背表紙をした文庫本の束があった。どれもかなり分厚い。読むのに時間がかかりそうだと思いながら、その美しい水色に魅かれて手に取ったのが、山本周五郎との出会いだった。

　私が育った昭和四十年代から五十年代にかけて、テレビでは毎日のように時代劇が放映されていた。「水戸黄門」「大岡越前」「遠山の金さん」などは、あの頃テレビを見ていた人なら知らない人はいないだろう。ゴールデンタイムのチャンネル権がなかった私は、それらをオンタイムで見ることはなかったが、小学校から帰ってすぐにはじまる再放送を、母の目をこっそり盗んで見ていた。

いつもいい子でいなければならないと洗脳されていた私は、時代劇に描かれる勧善懲悪の世界が好きで、繰り返される同じ筋書に飽きることはなかった。正しく善良であれば必ず救われるという私の信条は、もしかしたらあの時、あの時代劇によって培われたのかもしれない。そんな子供時代を過ごしていたこともあって、周五郎の時代小説が私にはしっくりきた。懐かしい感じもした。

とはいえ、思春期の高校生が読む本ではない気がして、自分で新しく買って読むことも、図書館で借りて読むこともなかった。その頃の私は、三島由紀夫や谷崎潤一郎など耽美的な小説を熱心に読んでいて、太宰治に心酔している友人をみては、今頃太宰を読むなんて幼いと思うような少女だった。生意気にも周五郎の時代小説は所詮大衆小説だと思っていたところがあり、袋に入っていた小説を数冊読んだきり読むことはなかった。それから十数年、周五郎の小説を手に取ることはなかった。

ある時、恩師と小説について話すことがあって、話が周五郎に及んだ。周五郎の時代小説は何冊か読んだことがあり、勧善懲悪の世界が自分には馴染むと話した気がする。ただし、大衆小説だけれども、と付け加えて。

すると恩師は、周五郎の作品は時代小説だけではない、現代の浦安を舞台にした小説も書いている、と周五郎に『青べか物語』があることを教えてくれた。所詮大衆小説だと見下す前に、それを読むべきだという意味だったのか、あるいは純粋に文学作品だと評価して勧めてくれたのか、今となってはその真意はわからないが、早速私は『青べか物語』を購入して読んだ。

二

『青べか物語』とは、一言で言えば、「私」が「浦粕《うらかす》」という町にあしかけ三年ほど住んだ記録である。それは、「私」が一艘の「べか舟」を芳爺さんから買わされるところからはじまる。

その町の「東」と呼ばれる根戸川河口の、海水小屋にある腰掛に座って「私」が海を見ていると、ひとりの老人がすぐ後ろに腰かけて、ずっとめえに、ここに何かをぶっ建てようと思ったたっけだが、と煙管《きせる》を吸いながら言った。誰に話しかけるともなく大きな声だったので、まさか自分に話しかけられているとは思わず、「私」は黙っていた。するとその老人は、やかましい音をたててつまった煙管をはたき、喘息《ぜんそく》患者の喉のようにやにを鳴らして再び吸いつけ、なんにもおっ建たなかっただよ、と喚《わめ》きたてた。その老人が芳爺さんだった。

二度目にその老人に会ったのは「百万坪」で、沖の弁《べん》天《てん》社《やしろ》の方へ歩いていた時、後ろからいきなり大きな声で呼びかけられた。おめえ舟買わねえか、と尋ねられ、タバコを忘れてきてしまったという老人にタバコの箱を渡すと、箱から一本抜いて口に咥えて火をつけるやいなや、その老人はタバコの箱とマッチを自分の懐に入れてしまった。老人は「私」が断るのを予期していたらしく、「私」からもらったタバコを地面でもみ消し、残りを耳の後ろに挟んで手洟をかむと話題を変えた。マッチだけは返してもらおうとするとその老人は急に耳が遠くなり、二度も三度も「私」の言うことを聞き返した。そのため「私」はひどい吝嗇漢になったような気がして、恥ずかしさを感じたのだった。

　三度目の出会いは根戸川亭で、「私」が一本のビールとカツ・ライスを食べているとやってきて、同じ卓子《テーブル》の差し向かいに腰掛けた。おっかあがいねえからめし食うべえと思ってきただが、と言いながら、「めし」の注文はせずにコップ一杯のビールをたのんだ。その当時「浦粕」でビールの一杯売りをする店などあるはずもなく、「私」の飲んでいるビールをせしめるつもりであることは明かであった。罠にはめられるようにして「私」は、残りのビールをせしめとられる羽目になった。

　それからその老人は時々道で会ったが、ろくに挨拶もしなければ、「私」を見ても棒杭《ぼうぐい》か石ころでも見るような眼つきしかしなかった。それが五月のはじめ頃、「三本松」の木の脇に水からあげて伏せてあった「べか舟」を眺めていると、例のごとく大きな声で老人が話しかけてきて、「私」はその不格好な「べか舟」を買うことになる。「べか舟」とは一人乗りの平底舟のこと、小回りがきくのでその辺りでは貝や海苔採りに使われていた。「私」が買った「べか舟」は外側を青いペンキで塗ってあり、それゆえ「青べか」と呼ばれていたのであった。

　この冒頭の芳爺さんとのやりとりは圧巻である。わずか数ページのうちに、「浦粕」がどういう町でそこに暮らす人々はどのような人々であり、よそ者である「私」はどのような扱いをうけているのか、この小説の世界観を余すことなく描いている。はじめに芳爺さんから舟を買ったと言いながら、三度の出会いの場面では全て「老人」となっており、固有名詞で語られないことに、「私」との縮まらない距離感がにじみ出ている。

　この小説は、「蜜柑《みかん》の木」「水汲みばか」「砂と柘榴《ざくろ》」など、長さもまちまちの三十編ほどの短編からなり、水夫の助なあこ（あにいというほどの意味）や魚屋の男、洋品雑貨店の五郎などを主人公にした、噂話のような物語が綴られている。「青べか」はそれら短編のはしばしに背景のように描かれ、「私」はそれに乗って水路を行きかい、気ままに釣りを楽しんでいる。「私」は水の上から「浦粕」という俗世を眺めていて、あたかも自分が見聞きしたような語り口ではあるけれど、たいていは小学生の「長《ちょう》」から仕入れた話であった。浮世を離れて釣り糸を垂れるといえば、唐の詩人李白を思いだす人も多いだろうが、「私」が釣りの向こうに見ているのは、自分を受け入れない「官人世界」ではなく生きることに必死な「庶民の暮し」であり、その逞しさには愁いとは異なるまた別の悲しさがあった。

例えば、レコードを朝から晩まで聞いているうちにだんだん頭がおかしくなった魚屋の男は、嫁でももらえば治るかと思って結婚したが、頭はちっとも治らないで水汲みをはじめた。ごみが入っていたら何度でも水を汲みなおし、納得のいく水を汲むのに二時間もかかることがあった。男は毎晩嫁に風呂に入れてもらい、寝る時も抱いてねかしてもらうというのに、嫁とはただ一緒に眠るだけで、その男の嫁といえば、三人の若者をつかって立派に魚屋を切り盛りしている。「私」が魚屋の前を通った時、その嫁はあねさまかぶりで襷《たすき》をかけ、肉付きのよい手足をのぞかせて盤台を洗っていた。その姿には不運な女のかげとか、悲しみを胸に秘めているといったふうなものは微塵《みじん》もなく、額のあたりを撫でようとして挙げた白いゆたかな腕の付根にふさふさとした腋毛を見て、「私」は慌てて眼をそらしてしまう。そこにその嫁の「逞しさ」を感じ、「私」はたじろぐしかなかったのだろう。

この「浦粕」では、かつて日本中のどの共同体でもそうであったように、男女の色恋が噂の中心であり、男ばかりか女たちも平気で浮気した。まだ十九歳の助なあこが恋したのも、三十五歳の人妻であるお兼だった。助なあこのうぶな恋は、ほかの男たちとも寝るお兼をなじったその晩に、あっけなく打ち砕かれてしまった。男と女の仲は蜜柑を育てるようなもんだ、それをお兼のようにあっちの男ともこっちの男とも寝るようでは、せっかくの木になすびがなったり、かぼちゃがなったりしてしまう。そうなじった助なあこに対して、おめえだっておらの亭主から横どりしてるんじゃないか、とお兼は開きなおった。そればかりか、お兼の夫は酒の一杯を間男たちにねだりに行く時、夫婦の営みを蜜柑に譬えた助なあこの言葉を口にした。それ以来人々は、お兼の夫はすっかり「役者」になったと噂した。彼らの間には秘密というものがない。あらゆることが瞬時に知れ渡り、悲喜こもごも、全てを飲みつくして彼らは逞しい。どこまでも生きることに貪欲であった。

三

勿論そんな逞しい女の話ばかりでなく、「砂と柘榴」では用品雑貨店の五郎のもとに嫁いできたゆい子の、奇妙な行動が語られている。東京の女学校を出た器量良しの娘との結婚は、友人たちからは嫉妬と羨望の的であったが、初夜の晩、花嫁は自分の夜具のまわりに砂を撒いた。嫁が言うには、長く腎臓を患って亡くなった五郎の母親の喪が明けるまで、こうして寝るようにと言われてきたという。五郎は、喪が明けるまでの七十五日間待つことにした。ところが、喪が明けてもゆい子は毎晩砂の垣を作り続け、それから六十数日過ぎたある日、里帰りしたまま帰らず、離婚したいと言ってきた。嫁の方から家風に合わないというのはあべこべだ、ということになり、五郎の方から離縁することにした。

離婚してはじめて、五郎は父親に「砂のバリケード」の話をした。砂を撒く姿に「呪禁」でもされたような「凄さ」を感じる五郎に対し、父親は、砂が恐ろしくて海へいけっか、砂を撒いたのは、おめえが蹴っぱらってへえって来るのを待っていたんだ、と取り合おうとしない。町の人々はそんな五郎の不甲斐なさを「幟《のぼり》もおっ立たない」話にすりかえ、父親は、ゆい子の実家をみかえしてやらねばという気持ちも手伝って、すぐに新しい嫁を探し始めた。しかし、「役にたたない」男のところに嫁にやろうという親はなく、苦労していたところに、五郎の姉が嫁ぎ先の北海道から一人の娘を連れてきた。実科女学校中退のその娘はゆい子よりも器量が良いうえ、二歳も若かった。ゆい子もまた、五郎が結婚してまもなく東京へ嫁に行ったが、五郎の新しい妻が女の児《こ》を産んだ時、ゆい子は再び実家に帰っていた。

この話は、五郎を中心に捉えれば、大学出の奇妙な嫁の話であり、町の人々にとっては、嫁に逃げられた情けない男の話であった。ゆい子からすると、四キロ離れた他の町から嫁にきて、「結婚」を受け入れられなかった話となるだろう。が、おそらくこの話の核にあるのは、ゆい子の中に巣食った静かな狂気であり、頑なさであって、それを周五郎は「狂気」として簡単に片付けたりはしない。ゆい子については多くを語らず、なんとも腑に落ちない不可解さを私たちに投げかけたまま口をつぐむ。自分は噂好きな人々とは違うのだ、といわんばかりに。それだけに、ゆい子の抑圧された狂気に、心の闇の深さを感じずにはいられない。

こんな短編もある。「東」の浜に繋留《けいりゅう》した十七号船に暮している幸山船長は、町の人々から変わり者扱いされている。引き取りたいという子供たちの申し出を断って一人で暮しているその船は、退職の条件として払い下げを願った廃船であった。「私」は釣りをしていて船長と知り合い、ある月のいい晩、十七号船に招ねかれた。船の中はきちんと整えられており、板壁に作りつけられた棚の上には六、七冊の本と、ブックエンドがわりに硝子《がらす》張りの人形箱が置かれていた。その人形はかつて恋仲だった娘が嫁に行く時に船長に渡したもので、軀は嫁に行くが心はこの人形にこめてある、と娘は言った。娘は根戸川を渡ったところにある資産家の家に嫁ぎ、船長の乗った船が近くを通ると土堤《どて》まで来て姿を見せるようになった。産褥などでしばらく娘が姿を見せないこともあり、反対に船長が船に乗れない日もあったけれど、水上と土堤の三百メートルの無言の逢引きはずっと続いた。たった一度だけ、その娘が自分の子供を連れて船に乗った時、すみませんねえ、今日はいいお日なみですね、と互いに言葉を交わしたことがあったが、それきりだった。

船長が四十二歳の時、その娘は病気で死んだ。六十日余りもあとになって船長はそれを知り、言いようのない感動に包まれたという。悲しいことは紛れもなく悲しかったが、悲しさや絶望感の中に、一種ほっとしたような、うれしいような気分が生まれた。あのこは死んでおらのとけへ戻って来た、と船長は言った。心は人形にこめてあると言った娘の言葉が、現実になったと感じられたのだろう。船長も娘と別れた後に結婚し、その妻に死なれて独身を通していたが、それからは心の中で娘と会話するようになった。自分は独り暮らしではない、そう語った船長はうっとりした眼をしていた。それ以来、二度と「私」は船長を訪ねていかなかった。

人嫌いと噂される幸山船長には忘れられない恋があり、その恋人の死後、はれて船長は恋人の心と一つになった。他人から見れば狂気にしか見えない幸福が、人にはそれぞれあるものだ。誰も知らない船長の秘密を「私」だけが聞き、「私」はそれを胸の奥深くに仕舞い込む。「青べか」に乗った「私」は、噂話とは異なる次元で人々の暮しを眺めているのであった。

四

令和元年の五月は長い連休で、その連休の後半がはじまる日に、かねてから行きたいと思っていた浦安の散策に出かけた。もしかしたら今でも海には「べか舟」が浮かんでいて、何かしら『青べか物語』や周五郎に関するものが残っているのでは、と考えていた。

「かねてから」と言いながら、周五郎関連の図書を探し、ざっと目を通したのは四月に入ってからのこと、文学散歩に関する情報を調べてはみたものの、目新しいものは何もなかった。浦安には郷土博物館があって、そこには昭和初期の浦安の建物が復元されているらしいから、そこで周五郎の情報も仕入れればいいわ、くらいに思っていた。それがいかに安易なことであったのか、浦安に着いた早々私は気づくことになる。

晴天だったはずのその日、浦安駅に着いた途端大粒の雨が落ちてきた。いわゆるゲリラ豪雨で、思わず郷土博物館までタクシーに乗った。ところが、連休中で賑わうはずの郷土博物館に人がいない。なんとその日は臨時休館で、昨夜ホームページで休館日を確認したのに、とがっかりした。この博物館の休館日なんて誰も気にしていないのだろう。まして横浜からわざわざ来る人なんていないと思っているに違いない。自動ドアはかたく閉ざされていて、復元された浦安の古い町なみを、二階部分にあたるエントランスからかろうじて眼下に眺めることはできた。しかし、これでは周五郎のことが何もわからない。仕方なく、周五郎が下宿していた船宿「吉野家」まで、境川に沿って歩くことにした。

歩きはじめると、さっきまでの激しい雨が嘘のように晴れだした。晴れると暑く、雨傘にしていた傘を今度は日傘にした。境川にはところどころ案内板があって、昭和初期までの町の様子を記していた。今でこそ浦安はディズニーランドで有名になったけれど、かつてそれは淋しい漁村だった。東京湾に突き出た浦安は、陸路をゆくよりはるかに船便が便利だったとあり、それは『青べか物語』に描写されている通りである。おそらくフロントリゾート開発がなされるまで、浦安は江戸風情を残した町だったのだろう。川沿いの道の両側には古い町並みを写したプレートがあり、往時を偲ぶこともできた。

ところが、その案内板のどこにも、かつて周五郎が住んでいたとか『青べか物語』の舞台となったとか、周五郎に関する情報がなかった。不思議な気がした。町おこしをしたいのなら周五郎を持ち出せば良いのに、なぜ触れないのかと疑問にも思った。

川沿いの道を歩き始めて間もなく、明治二十一年創業浅田煎餅本店という看板が目に入った。古くからの店なら何かわかるかもしれない、そう思って店内に入ると、白髪の上品な老婆が店番をしており、いろいろに煎餅の説明をしてくれた。

そこで私は、山本周五郎が散策した場所や彼に纏わるエピソードを御存じないですか、と尋ねてみた。すると彼女は知るでもなし、知らないでもなし、話をはぐらかした。周五郎はもとより、『青べか物語』という小説も知らないらしい。私が同じ質問を繰り返すと、老女は奥にいた息子を呼んだ。私といくらも年の変わらないこの息子なら、きっと周五郎に関する話を知っているに違いないと期待したが、その息子もまた何も知らなかった。デジャヴだと思った。まさにあの時の「私」と同じだった。

小説の最後、「私」は「浦粕」の町から逃げ出した。書き上げた幾編かの原稿と材料ノート、スケッチブック五冊とペンを持っただけで蒸気船にも乗らず歩いて東京へ戻った。その八年後に「私」は「浦粕」を訪れ、その時出会った誰もが、あの親しかった「長」でさえ、「蒸気河岸《がし》の先生」と呼ばれていた「私」がわからなかった。わからなかったのではなくその記憶がなかった。唯一「私」を覚えていたのは「留さん」だけで、女郎あがりの中年女に貢ぐ情けない姿を小説にされてしまったというのに、怒るどころかその小説を家宝にすると言った。

魚釣りや潮干狩り、海水浴など季節ごとに来る都会の客たちから、「うまくせしめる」習慣が身に着いてしまった「浦粕」の人々は、いつでも朴訥《ぼくとつ》な表情をつくり、あいそ笑いをする用意ができている。そう小説の冒頭にあるように、「浦粕」の人々にとって東京の遊覧客は、記憶に留めるほどの価値もなく、彼らの関心事は客から得られる利益だけであった。そうであるから、さらに三十年たって「浦粕」を再訪した時も、「私」はまた同じ経験をする。昔と同じように親しく呼び合い、同じ思い出話をするのに、「長」には「蒸気河岸の先生」の記憶だけがない。「青べか」から遠巻きに町を眺めていた「私」は、「浦粕」の現実とは無縁なものとして抹殺されてしまったのだ。それが庶民という思考回路なのだろう。小説など読む暇もなく懸命に生きている人々にとって、「蒸気河岸の先生」はマレビトになり損なった部外者に過ぎない。その生きる力に周五郎は圧倒されたのだと思う。この小説に周五郎という作家の「風土」は感じられないが、「浦粕」の「風土」は濃厚にある。

早乙女貢によれば、周五郎にとって「いい小説」とは、書かずにはいられないものだという。『青べか物語』には書かずにはいられなかったものがあり、それに対して、純文学や大衆文学といった区別は何の意味もなさない。「書かずにはいられない」のが文学なのだと、あの時恩師は言いたかったのかもしれない。恩師が亡くなった今、改めて私は「書く」ことの意味を反芻している。

〈特集・山本周五郎〉

なぜ斬ったのか

――山本周五郎作『大炊介始末』

立野正裕・編

作品について

大炊介（おおいのすけ）という一藩の跡取り息子が乱暴狼藉、非道と見える乱行をくり返す。幼馴染のこさぶと呼ばれる藩士柾木兵衛が命によって主人公を始末することになった。しかし、藩命を帯びてはいるが出来ることなら大炊介を助ける方法はないものかと思案する。同時にいろいろと聞き込みをおこなう。

大炊介の幼馴染でしかも浅からぬ因縁があり、個人的にも敬愛しているので、大炊介の乱暴狼藉がなぜ起こったのか、その理由を、狼藉を受けて腕を失くした者や、脚を斬られた者を訪ねて、経緯を聞いたり、略奪された農家におもむき、その家の娘に話を聞く。反応はさまざまであった。やはりこさぶにもさっぱり判断がつかない。とうとう大炊介の前に出る。大炊介は、なぜお前が来たか分かっていると言って人払いをし、狼藉の理由を質すこさぶに、訊きたかったら腕で訊けと言ってのける。二人は乱闘になる。そのとき背後からこさぶに短刀を突き刺した女性がいた。これがきっかけで大炊介は、なぜ自分がこのような不始末を仕出かすようになったかを、初めてこさぶに向かって語り出す。

一　質屋の奉公人から

司会　今日取り上げるのは山本周五郎作「大炊介始末」です。いつものように講師のAさんから口火を切っていただきましょう。

A　山本周五郎の作品の多くは新潮文庫で読むことが出来ます。そのなかから「大炊介始末」を取り上げるのですが、短編集の表題作でもあり、この作家の数ある短編のなかでも代表的な作品の一つですね。

　昭和三十年二月の『オール讀物』に掲載されました。かれが物故したのが昭和四十二年（六十四歳）ですから五十二歳のときですね。

「大炊介始末」はとくにわたしが心惹かれるものがあって選ばせていただいたのですが、みなさんお読みになってどのようにお感じになったでしょうか。この話の筋道は一読すれば二度目には頭に入っていますからそこに謎はありませんが、それでも一度読んだときと二度目に読んだときとでは、この小説が一回読むに値するだけなのか、二回も読んで考えるに値する作品なのか、これもみなさんのご意見が分かれるところではないかと思います。

　いずれにせよ、ここからいろいろな問題が引き出せるのではないか。そんなふうに思いましたので、この作品を選ばせてもらいました。わたしの意見もおいおい述べさせていただくことにして、お読みになったみなさんの感想をお聞きしたいと思います。

司会　それではみなさん、どなたからでもけっこうですので読後の感想を聞かせてください。

B　わたしは山本周五郎を読んでいると元気が出るんです。いろいろなことを抱えながら健気に生きている人たちの知恵というか、そのようなものを感じる。この短編は初めて読みましたがいろいろ教わることが多かった。短編小説ですけれど内容は大きな作品だなと思います。

C　一つ質問してよろしいですか？　答えられなければけっこうです、わたしもよく分からないんですが、山本周五郎というペンネームは、かれが山本周五郎商店というところに徒弟として住み込んだ。その名前をいただいたということでしょうか。とすれば山本周五郎商店にかなり世話になった、あるいは親しかったのかな、と思うんですがその辺はどのような事情があったんでしょうね。

A　はい、山本周五郎質店というのがあって、店主がよほど度量を持った人だったようですね。徒弟を五、六人使っていたらしいのです。日ごろ質店の仕事というのはそれほど忙しいわけではない。大方の徒弟は雑談などをして時間をやり過ごす。そのなかで、のちに作家となる一人の店員だけはよく本を読む若者だった。ほかの者たちとはちょっと毛色が変わっていた。

この質店で、それぞれが原稿を持ち寄って同人雑誌を作った。その場が無名時代の作家のいわば道場となった。じつは同人誌を作ることを奨励したのも店主だった。のちに作家となるにおよんで、清水三十六（さとむ）という本名を山本周五郎というペンネームにして、終生変えなかった。山周と呼ばれるのを嫌ったが、それも山本周五郎質店という店名に愛着があったからで、実質的な意味で自分のほんとうの父親は山本周五郎であると言っていた。この店主を心から敬愛して終生その思いは変わらなかったそうです。学歴のなかった周五郎に、学ぶということの大事さと鑑識眼をこの店主がしっかりと教えたのです。

木村久邇典（くにのり）という人の書いた作家の伝記によると、この鑑識眼ということについて山本周五郎は座談のかたちでこういうことを語っていますね。質店なので宝石などもよく持ち込まれた。宝石の鑑定力を養うにはコツがあって、新人には最初から本物の宝石だけを扱わせて安物の宝石はいっさい見せない。すると贋物を見たとき本能的に違和感をおぼえるようになる。初めに本物と贋物を一緒に比較させて仕込むのはけっしていい教育法とは言えない、というのが店主のポリシーだった。

したがって周五郎が徒弟時代に読んだ本も大衆小説などではなく世界第一級の文学作品だった。バルザック、トルストイ、ドストエフスキーなどを読むようにと言われたそうです。そのような大文学で鍛えた文学修行の上に周五郎の小説がある、というように考えないとまちがうでしょう。

ついでに申し上げますと、伝記には質店の奉公時代のことについて、質店での奉公は人生の理念をまっとうに学ぶという点で小説家山本周五郎にとってこれほど適切な勉強の場所もなかったと言っても過言ではないと述べられています。

確かに、質種を持って人目を忍ぶようにして現われる人々には、貧乏という人生のネガティヴな面が色濃くただよっているわけですね。周五郎の作品をいろいろ読みますと、人生の辛酸というものに関心をもって記憶のなかに刻み、そういうことどもを長年蓄積したのだということがだんだん分かってくるんですね。

司会　続いてほかの方で、いかがですか？

D　まだ一度しか読んでいないのですが、武家社会のことがいろいろ分かって面白かったですね。主人公が藩主のじつの子供ではないということですが、この時代の武士社会では側室がいたりするような時世で、実子、腹違いの子、などの親子関係を重視するのだなと思いました。

　政略結婚なども当たり前に行われていた社会だったと思いますが、たとえ圧力があったとしても、最終的には本人も納得したうえで結ばれるのかなと思いました。そのように考えないと矛盾するんだろうなと思いました。

　それから主人公が父親に対して、血縁でないことが分かっても強い敬愛の思いがあり、同じように父親もかれを深く愛している。にもかかわらず、その命をちぢめることを命令しなければならないという父親の心境はどのようなものであったか。そこを考えているうちに、次第にむずかしくなってきてしまいました。

二　大炊介豹変の謎

E　もっと議論するなかで述べようと思っていたのですが、時間がもったいないのでいま述べることにします。この作品で大炊介がなぜ豹変したのかということですね。あれこれ想像しながら読んでいて、ぐいぐい引き付けられて一気に読んでしまいました。この文庫に収められている他の作品もほとんど読みました。
　一つどうしても自分のなかで腑に落ちなかった点から話したいと思います。それは、出生の秘密を主人公に告げた吉岡進之助を、話を聞いたその場で手討ちにしてしまうのですね。そこから大炊介は苦悩の世界に入り、人間が変わってしまう。

　いっぽう手討ちにされた吉岡進之助の両親も、若殿に無礼をはたらいたということで自害する。けれど、吉岡進之助は悪いことはなに一つしていないし、かれの両親も無礼なことをしたとはどうしてもわたしには思えないのです。でも進之助やかれの両親の死に対する大炊介の意識に、作者は全然触れていない。そこのところに強い疑問を持たないわけにはいきませんでした。

司会　Eさんのご発言に対して、どうでしょう。自分はこう感じたというご意見があればまず伺いたいと思います。自分もそのように思ったという同調のご意見でもいいですが。さらには、その部分はもっともで、自分は違和感をいだかなかったという方もおられると思うのですが？

B　わたしはEさんとまったく同じ感想です。吉岡進之助がその話をしたときに大炊介はなぜ一刀のもとにかれを成敗したのかというのが、この作品のいちばんのポイントだろうとは思いますが、その理由がわたしにも理解出来ません。
ただ、一つ感じるのは、主人公の大炊介高央（たかなか）は藩主高茂（たかもち）のたいへんな寵愛を受けて立派な青年に育っていたわけで、そのような温室育ちの青年が不幸な事実を知ったときのギャップというのはものすごく大きかったと思うのです。そのようなギャップに耐えられるだけの精神の逞しさに欠けていたのかなとも考えるのです。

F わたしも最初に読んだとき、ここのところはちょっと分からなかったのです。本文の一八七ページなかごろから一八八ページにかけての文章、とくに一八八ページなかほどで進之助の無礼を赦せなかったと言う大炊介に、父親がどう赦せなかったか申してみよというところですね。大炊介は、いや、申しますまいと言ったあとで、人の気持ちはそれぞれちがうものです。わたしには赦せないことでも父上は笑って済ませるかもしれません、うんぬんとあります。
ここを読んでわたしは、父親の代の武士社会の風習というものと、大炊介の持つルールとか基準がちがうのかなとさえ思いました。大炊介としてはなにがなんでも赦せないことだったんだろうというように理解していました。

司会 なにがなんでも赦せなかったのだろう、と。そのなにがなんでもというところを、われわれが読者としてこじあけてみたいですね。

F でも、そういうふうに書いてある物語なんだとそのときは読んだんです。

B 無礼というのはあえて言えば、吉岡進之助がそのようなことを自分に対して言ってくること自体が大炊介からすると手討ちにするほど無礼だということなんですかね。

F そういうことは知っていても言うものじゃないということでしょうか。

G いや、そうじゃないんじゃないですか。父親に寵愛されていたからそんなことは思ってもいないことだったので、青天の霹靂にショックを受け、とっさに斬りつけちゃったんじゃないですか。あまりのショックでね。わたしはそう思いましたけど。

司会　無礼というのは父親に対する弁明として言ったんですかね。

G　ちがうでしょう。無礼なことをしたから成敗したと言ったのは、父親に言ったのではありません。

H　これは言いわけとして無礼なことと言ったのではないですか。

E　わたしも衝撃は衝撃だと思うんです。近い将来名君になれるような心も身体も健康で人への思いやりもあり、人間的に素晴らしい成長を遂げてきた大炊介が、家来とはいえ理由もなく斬り捨てるということはよほどのことでないと出来ないだろうと思うのです。でもそこのところが文章的には一言も表現されていないのですね。読者が自分で推測するしかないのかとも思ったんですけど、どう理屈をつけてもわたしには納得が出来なかったのです。

　これだけ思いやりがある人物であるにもかかわらず、出生の事実を告げられた途端に進之助を成敗したこと、また斬られる前の進之助にしても、いったいどのような意図で出生に関わる大事な事実を大炊介に伝えたのか、そのへんもまだ疑問として解けずにありますね。

B　それは、二三〇ページのなかほどの文章の「まことの父、密夫が、重い病気で快復の望みはない、息のあるうちにひとめ会いたい」ということを伝えたいために言ったということでしょう。

E　ああ、そうでしたね、そこをちょっと忘れていました。

A　そのあとでそのときなにが起こったかを大炊介は告白しているわけですね。「吉岡が俺にそう言った、俺は目が眩んだ、そして気がついたら、そこに吉岡の死体があり、おれは血刀を持って立っていた」これが大炊介の側からせいいっぱい正直に言えることなんでしょう。

G　これはいかにも武家社会そのものが色濃く出ている場面ですね。ですから、わたしはEさんのようにはそれをあまりおかしいとは思わないで読みました。というのは、主人として自分が側室を持つことはかまわないが、妻が、ほかの男の子供を宿すということは絶対に赦せないという社会だと思うんです。吉岡もそのことを大炊介に言ったときには、もう仕方がないという思いで告げたと思うんです。ですからあとで大炊介が自分で母親に確かめたとき母親が否定も肯定もしないということは、明らかにいまの夫より前の男のほうを愛していて、その後もその人に操を立てて子供を産むこともしなかったということだったと思います。

そのようなことは、本来であれば武家社会においては赦されないことだと思うのですが、その子は現在の父親から溺愛されていたわけなので、吉岡の言葉を聞いただけで思わず斬ってしまった。また伝えた吉岡のほうも、その両親も、そのようになっても仕方がないということは、ある意味で覚悟の上だったのではないかという捉え方をしました。いまの社会から見れば武家社会というのは歪んだ面を持つ社会なのだと思うんですが、それが現実としてあったのだろうと思って、ここの部分は自然と読んでしまいました。

B　そうしますと無礼ということは、このようなことを告げ口をして伝えてくること自体が無礼だということですかね。

G　ということだと思いますね、吉岡のほうはむしろある意味では親切で告げているのかと思いましたけどね。たぶん大炊介は、母の不義ではないにしても、真相を隠したままで母親がいまの父親といっしょになったということに耐えられなかったと思うんです。

E　それでも斬ってしまうというのはどうでしょう。たとえば進之助を追放するとか、叩き斬るよりほかの方法もあったでしょうに。

A　追放してもこの手の家来はしゃべるでしょう。

E　この文章から、進之助という青年を、そのような人物とは思えませんでしたけれど。

A　進之助は物語のしょせん端役ですから。

E　ええ、端役は端役なんですけれども。

A　進之助を殺したことがよいかわるいかと言えばわるいに決まっています。しかし作品はそこに眼目があるのではないということです。その事実だけで見れば大炊介は人間的に力量不足だという批判は当たっているでしょうけれども、物語の核心は別のところにある。

G　大炊介は帝王学を学んだわけですよね、その帝王学を肯定するかどうかだと思います。

A　誰が肯定するのですか？

G　作者の山本周五郎が肯定するように書いたかどうかということです。

A　それは読者の問題でもあるわけですね。

G　ええ、そうですね。

A　わたしはこの小説を読むかぎりにおいては、ことさら帝王学というふうに堅苦しく考えません。考える必要もないと思います。幼なじみで信頼しているこさぶが現われたとき、こさぶの手にかかって殺されてしまいたかったのに、そうならなかった。その後、殉死するという家来たちが少なからずいることを知って、いよいよ死ぬに死ねなくなる。しかたなく頭をまるめるわけですが、これは大炊介からしたら死ぬよりもっと辛い生き方だと思いますね。

G　それはそうですね。

D　大炊介になにかあれば殉死しようとしている家来がいることをこさぶが説明して、大炊介がそのことを初めて知った。それまでは自分が死ぬことばかり考えていたので、殉死ということは大炊介の念頭にはなかったわけですよね。

A　大炊介はこさぶに討たれるつもりだったが討たれることも出来なくなった。討たれれば家来が殉死すると言っているんですから出来ないわけです。

D　そうですね。

A　どうしても生きていられず、さっさと殺されてしまいたければ、周りが殉死しようがしまいが殺されようとするでしょう。しかし自分が死ねば殉死者が出るということをこさぶから聞いて主人公は思い止まった。殉死する者が出る。これは大炊介にとって自分が死ぬより辛いことだった。

　自分は密夫の子だということを告げ知らされてからの大炊介の生涯は、苦悩以外のなにものでもない。父の期待に応え、家来の期待に応え、ゆくゆくはよき君主であろうとそれまで自分に言い聞かせてきたのですから。その苦悩のほどをむしろ女性たちのほうが直感する。しかし大炊介はその女性たちに指一本触れることもしない。女性のほうから触れようとすると無下に実家に追い返してしまう。はたから見たらもてあそんだ挙句、実家に追い返したように見えるでしょうがそうではない。

Ｅ　Ａさんが言われるように、大炊介は自分自身小さいときから名君になろうとして邁進してきたわけですよね。そのかれが自身の出生の秘密を知らされて苦悩し、死ぬにも死ねないとすれば、その時代を肌身で感じることが出来るわけではありませんから、その時代の理解はむずかしいけれど、なんとも情けないことですよね。自分が本当にその器に値するような立ち位置にあるわけですから、密夫の子、側室の子、正室の子の区別なくその国を治める立派な藩主になろうという努力をするほうが、むしろいっそう逞しくていいのではないかとさえわたしは思いましたね。

Ａ　お説、ごもっともです。（笑い）

Ｅ　つまらないことを言ってしまいましたかね。でもやはり、無礼の一言で一刀のもとに殺されていいのかなって、わたしはやっぱり納得出来ません。密夫の子でもいいじゃないのって思うんですよね。母親が結婚後に不義密通をはたらいて生まれた子ではないんだし、もっと逞しく生きろって言いたいんですよ。

Ｄ　わたしもいいじゃないのと思いますけど、そうではなくてやはりその時代のことだから。Ａさんもおっしゃったように、その時代のことを書いているわけだから。

Ｅ　「山椿」という作品では結婚した妻にほんとうに思う人がいて、その人に操を立てるために夫に身体を許さなかったということがあって、自害までしようとするわけです。ところが、最後には夫が、妻がずっと思っていた男を自分の家来にして添いとげさせるという内容です。時代がちがうのかもしれませんが、山本周五郎はそのような短編も書いているんですね。そのいっぽうで「大炊介」のようなものもある。わたしは「山椿」のほうが好きですね。

司会 確かにほっとしますけれどもね。「山椿」の場合は藩主ではないんですよね。

E そうですね、少し軽い感じなのかもしれません。でも普通は離縁くらいはしますよね。添い遂げさせようとは思わない。そのような作品も周五郎にはあったものですから、「大炊介」がどうしても理屈ではなく腑に落ちないんですよ。

A 腑に落ちない理由は作品にあるのか、読者にあるのか、どちらです。

E 作品のなかで周五郎が、進之助やその両親の死に対して大炊介が申しわけないというか、そういったことをただの一言も書いていない。そこがどうも納得できないのです。

A 作品に即して言えば、進之助は忠義立てをしたつもりかもしれませんが、言うべきではなかったのです。大炊介の実父にしても、重病であるとはいえ主人公にひと目会いたいなどと言わずに黙って死ぬべきだったのです。

E それはそうですね、進之助が立派な人だとは思いませんが、しかしそのような愚かな家来だからといって殺していいのかという気が残るのです。

A それは殺してはいけませんよね。(笑い)
しかしこの作品では、将来藩主として生きようとしていた主人公が、胸に深い懊悩をかかえている。その結果乱行のかぎりをつくして自ら成敗されようとする。そこに悲劇性を見いだし得るかという問題でしょう。見いだせないならば作者からしたら失敗したということでしょう。

E 悲劇というようにはわたしは捉えていませんでした。大炊介は愚かな人間だと思っていたので。

A たとえ密夫の子でも貴方の力量次第で藩主になる器があるのだから、と言われてそうか、と考え直すようなやつが主人公になりますか?(笑い)

E　どうもすいません。（笑い）

A　森鷗外、夏目漱石、あるいは田山花袋、島崎藤村、菊池寛、芥川龍之介だったらどの作品がこれに匹敵するだろうと考えてみると、これに匹敵するものを誰も書いていないようですね。鷗外の「阿部一族」は文学的にはこの上を行くかもしれない、しかし「大炊介」は書けていない。

E　それがAさんがこの作品を取り上げたゆえんなんですね。

A　いや、個人的ゆえんはいろいろありますよ。つまり自分が大炊介だったら、あるいはこさぶだったら、などついわが身に引き付けて考えました。

それから、わたしが興味を持ってみなさんにお訊きしたいことがもう一つあります。それはこの藩主が事実を知っていたかどうかです。作者がそれを多少なりともヒントを読者に提供するような書き方をしたらまったくちがう話になると思います。知っていたかどうか、物語からはしかと分からないわけですね。

D　わたしは、この小説のなかでは相模守高茂、大炊介高央、その母親、と三者三様に罪を与えられていると思うのです。母親はその罪を生涯抱き込んで生きていかなければならないわけだし、大炊介だけは出生の秘密を知らされるまではとても順調に過ごしてきたわけですが、その後背負いきれないほどの苦悩に出会う。それからのかれは女というものを信用出来なくなって、女性を受けつけない。

仮に父親が母親の秘密を知っていたとしても、それはそれで重荷を背負って生きることになるわけです。でも産まれた子供に対しては深い愛情を抱いて育てるわけですよね。父親がそのことを知っていて生きているのであれば、それはものすごいことだと思うんです。耐えていけるのかなと思うくらいです。

大炊介の出生の事実を父親が知っていたとすると、その上でかれをこれほどまでに愛せるものなのかどうか。Aさんと同じようにわたしも訊いてみたい。みなさんはどう思いますか？

B　相模守高茂は知らなかったと思いますね。知っていたら大炊介を殺せとは言わなかったでしょう。

A　Bさんは、もし父親が知っていたらおれが赦す、命をちぢめろとは言わなかったろう、ということですね。わたしの解釈は反対なのです。知っていたか知らなかったかは別ですが、この藩主高茂が大炊介の命をちぢめろと言ったのはよくよくのこと、最後の最後でしょう。

なんとかならないか、せがれのあの気性では監禁はとうてい耐えられぬだろう。いっそ命をちぢめてやるほうがせがれはまだ救われるだろう。こんな深い愛情はないと思います。息子のことをよく理解している。事情や経緯をなにもかも知っていたとすれば、確かにそれはものすごいことです。でも栴檀は双葉より芳しです。これは密夫の子だがこいつには器がある。そのように思って心から愛して育てたとするならば、どうでしょう。これは主人公が変わってきますよ。そこは読者の想像にゆだねて作者はあえて口を閉じている。あくまで主人公を大炊介に限定したかったからだと思います。いわゆる純文学や自然主義文学、私小説で主人公の孤独地獄というものを、心理的な内面からの描写ではなく、行動からしかも短編小説で読者にそこまで推測させていくというのは、やっぱり並々ならぬ作者の力量だろうと思います。

ところがいまだに日本の読者は、山本周五郎を侮っているのではないかという気がしますね。作品全部が全部一級品として粒選りというわけにはいかないでしょうが、この「大炊介始末」などは『オール讀物』にこれが出たのか、とわたしなどは思いますね。山本周五郎のことを文豪とは言いませんよね。しかし小説を書くのならこういうものを書きたいし、こう書くべきだとわたしなどは思います。

三　人間の根性の問題

A　先ほど周五郎が質屋で修行を積んだという話をしました。周五郎はつねづねこう語っていたそうです。

質種として持ち込まれる貴金属のうち駄物は見なくていいから本物を見ろと叩き込まれた。しかし他方では一番下から叩き上げていくということが修行の王道だということを言われてもいた。もっともではあるが、下積みをやらせているうちにみみっちい下衆根性に染まってしまうことがよくある。そのような人はそのうちなにが本物でなにが贋物かを峻別する精神そのものを見失って、人間自体が卑しくなってくる。

誤解しないでもらいたいが僕は下積みの人間を軽蔑しているのではない。世の中はむしろ大勢の下積みの人間によって支えられている。下積みの仕事こそ尊敬しなければならないと思っている。しかし精神的に卑しくなってはいけないと思う。下積みだから人間の苦労が分かるかと言えば、苦労が分かる反面下衆根性、奴隷根性、あるいはケチ根性といったものが身に付いてくることを警戒しなければならない、と。

この物語の吉岡進之助という人物は、まさにそのような精神の高潔さにおいて、大炊介にとうてい比肩し得なかったと思います。

山本周五郎という人は自身では中学に入ったと言っていたそうですが、伝記を書いた木村さんの調べでは尋常高等小学校卒ということです。したがって学歴コンプレックスが非常に強くあったということはまちがいない、と木村さんは書いている。その点で松本清張と同じですね。たとえば二人に共通していたのは、一流校を出たエリート中のエリートである編集者が原稿を取りに来ると、かならず議論を吹っかけることだった。

それを裏返して言えば、一流校を出ていてもたいしたことはない、という気持ちがどこかにあったのではないかと木村は書いています。しかしそれを額面どおり受け取るわけにはいかない。そうではなく、一流校を出たからといって精神において一流でなければ話にならないのだ、という気持ちが清張にも周五郎にもあったのだと解釈すべきでしょう。

周五郎が直木賞を蹴ったとき、菊池寛が山本周五郎はたいした作家ではないと言ったそうですが、周五郎はそれをずっと根に持っていたんだそうですよ。わたしはそういう根に持つ持ち方が好きなんですよね。（笑い）

いきさつはこういうことだった。菊池寛の『文藝春秋』に山本周五郎が短編の原稿を持参したときのことです。菊池寛はその原稿を読みもせずに、君が寄稿しようとしている雑誌は事情が変わって今ぼくの一存で載せる載せないを決められない。しかしわが社にはもう一種類の雑誌があってそちらなら僕の一存でどうにでもなる。だからそちらに載せようかと言ったそうです。それに対して周五郎は、わたしは『文藝春秋』に載せるために一生懸命書いてきたので駄目なら原稿はもらって帰りますと言って原稿を返してもらったそうです。周五郎という作家はそのような根性の持ち主なんです。

侍について書くとき、かれ自身に侍に対する尊敬の念がにじみ出るのです。侍を批判して書くときというのは、宮本武蔵のような伝説的英雄について語るときですね。それは一種の偶像破壊として書くのです。武蔵について周五郎が書くとき、ほんとうの敵は吉川英治だと周五郎が思っていたことも調べで分かっています。周五郎は吉川英治が嫌いだった。道学者ぶって、武蔵に人間成長のイメージを与えて、英雄中の英雄に仕立て上げたことへの反感があった。それに一矢報いてやろうと思ったそうです。

E でも吉川英治もすごく面白くて、若いときはわたしなどは引き付けられましたけれどね。

A ええ、それはわたしも同じですよ。『宮本武蔵』が愛読書だった。それに萬屋錦之介の出た映画の五部作もよかった。繰り返し見ましたしね。

E ここに出てくる女性、みぎわ、なお、うめなどの位置付けというか、とくにみぎわというのは美しくないと思っていたのに、最後にはきれいに見えたとか、そのあたりの大炊介の心情、最後の心、は想像は出来るのですが、なにか、しかも最後にみぎわの情景で終わらせるというのが引っかかって、もっと大きな位置づけがあるのではと思ったりするのですがどうでしょう。

A 短編小説ですからね、長編小説ならばみぎわはもっと描き込まれたでしょうし、兵衛つまりこさぶとの関係ももっと具体的に描かれたろうと思います。たとえばトルストイの『アンナ・カレーニナ』という長編小説では、アンナ・カレーニナが不倫をして破滅していくという悲劇的な物語なのですが、あの長編小説には大地に根を張って逞しく生きて行く若い夫婦もサイドストーリーのように描かれている。ですから破滅的な道筋を辿らざるを得なかったヒロインを克明に書くいっぽう、大地に根を張って逞しく家庭生活を営んでいく夫婦もいるということを、トルストイは同時に書いて、それを一つの作品の世界のなかに総合しているわけです。

山本周五郎にも、一冊の長編小説を構想するならば、先ほど話に出た「山椿」的なものと「大炊介始末」のような悲劇的なものと両方を統合するという意識があったと思うのです、その片鱗をうかがわせるのがこのみぎわと兵衛との関係だと思うのです。

最初はみぎわのことをちっとも美しくないと書いていますね。読者はそれを兵衛の主観だとは思わず一般的に不美人なのだと思いますよね。ところがやがて兵衛が彼女を、こんな美人だったのかと思うと読者はあれっと思います。人間の物の見方は人それぞれで、その状況に応じてなのだということを、短い小説のなかで読者に伝えようとしている。でもこの大炊介の悲劇と生き地獄は変えようのないものなのです。

そう考えると、この進之助というやつがわたしはいよいよ嫌いになりますね。こんなやつを友だちに持ちたくない。しかし思い出されるのは、たとえば鷗外の出世作『舞姫』の最後です。友人の相沢謙吉は無二の親友ではあったけれども、わが心に一点かれを憎む心ありけり、と書いています。親友ではあるけれども、あいつがあのときエリスにあんなことを言わなければという気持ちがどうしてもなくならない。その気持ちが作者にもあった。その心が文学に向かう哀しさとなって鷗外は文学者になったのだ、というのが大西巨人の解釈です。

大西さんと『舞姫』をめぐっていろいろ話をしていたとき、こうおっしゃった。文学に行く必然性と文学に行く偶然性とある。中野重治が言うには、偶然のおかしさから文学に行くやつ、必然の悲しさから文学に行くやつ、この二通りだと、大西さんは引用されました。鷗外の文学は必然の悲しさから成り立っていると中野さんも大西さんもお考えのようですが、それはどういう意味ですかと質問した。すると、『舞姫』の最後の一行を引用されて、あれだね、とおっしゃったのです。そのような意味で、山本周五郎も必然の悲しさというものが分かっていた文学者でしょうね。

E　事実を告げた進之助を一刀のもとに手討ちにしたという行為がわたしのなかで大きく膨らんだので、かれが告げたという行為の是非についてはあまり考えなかったのです。

なぜ告げたのか。告げなければならない理由があったのだろうか。そう考えなおしますと、じつは進之助には熟慮もなにもなかったということは明らかですね。

A　告げるにしても、その前に自分がその任に値するかどうかを進之助はよくよく考えるべきだったのです。

E　そうですね、二人はそのような間柄でもなんでもないわけですからね。

A　ええ、こさぶでさえそんなことは知らなかったでしょう。知っていたとしても、いや知っていたら、こさぶならばけっして言わなかったでしょうね。こさぶが菊一文字を与えるに値する相手であるかどうかを、幼少時代もうすでに大炊介は見抜いていた。大炊介は人を見る目を持っていた。骨董になぞらえてはなんですけれども、贋物や安物と本物とを見分ける眼力をそなえていた。

E　わたしは議論にはいる前は、母親の苦悩、夫にも告げることが出来ないし息子のためにも隠し通さなくてはならない。自分の胸のうちに秘めて死ぬまで過ごす、自害も出来ないというこの母親の悲劇が頭のなかにずっとありました。

A　大炊介は母親を一言も責めてはいませんよね。

E　そうですね。

A　進之助のことが議論でこれほど問題にならなければわたしも言うつもりがなかったことですが、われわれ人間は、ある人の重要な人生の秘密をはからずも知ってしまうという場合がある。そのとき自らがたまたま知ってしまった秘密を、親切心から当事者に伝えるかどうか。これは非常に重要な問題ですね。自分が知っている以上、知らないでいる人間にそれを伝えるのが親切というものだ、といったんは思うとするでしょう。しかし、自分がその任に値するかどうか。それを見つめ直すには慎重さだけではなく、ほんとうの人間的な力量というものが要る。

　というのは、知っていれば知っていることが権力になりうるわけです。ましてや、貴方は密夫のお子さんです、わたしはそれを知っております、と告げるだろうか。相手は藩主になろうという人ですよ。対して、秘密を告げる人間はたかだか二百石の小姓組頭です。そこに人間として対等な関係があるという時代の話ではありませんからね。ほんとうに進之助が大炊介に敬意と友情を感じていたとしたら、秘密は自分の胸にじっとたたんだまま、たとえ実の親から頼まれたとしても沈黙を守るほうを選んだのではないかとわたしは思うのです。

　この場合、実の父親がまちがっていたと言わざるを得ない。死ぬ前にひと目会いたいというのは、武家社会の厳しい条件のもとに生きてきたのに、ここで親子の情を先に立てて、いまのいままにいたるまで自分で守ってきた沈黙の重さをフイにしてしまうことです。それは人間の弱さと言わねばなりません。そこへゆくと、母親のほうがえらいですね。大炊介は実の父親筋から伝わってきたほうはその使者を一刀両断するが、母親に対しては軽蔑も恨みも持たない。

　とはいえ、思いの深さが伝わるのは、それ以後女性を近づけないという態度にそれが表われているからです。みなさんのご意見のなかに、相模守高茂は英邁な藩主ではなく朴念仁だったのではないかという意見がなかったことで安心しました。わたしの個人的な推測では、相模守高茂は妻の事情を分かっていたと思います。作者はそれに対して一言の暗示もしていませんが、よく考えれば事情を分かっていなければおかしい話でしょう。しかし分かっていたということをおくびにも出さずに子供を愛した、これによって悲劇性が一段と深まるのです。ですから、監禁するより命をちぢめろと言ったのは、まさに泣いて馬謖（ばしょく）を斬るというか、真実の親心からだったとわたしは思います。

C　では、相模守もなかなかの人だったんですね。

A　このような人物はめったにいないでしょうね、お家大事とはいえ、そのためだけでこの息子をこんなに愛したとは思えません。

C　母親のこともすごく愛していたということですか。

A　そうでしょう。母親とのあいだに子供を作らなかった。愛情から産まれた息子なのに、大炊介はそう思うことが出来ない時代条件のもとにあったわけです。

また、そのような格式、家柄に生まれ合わせてしまったのです。その負い目を十八歳になるまで少しも感じさせないように愛し続けたのが相模守です。それなのに忠義ぶって小姓組頭の進之助がまったくよけいなことを言いに来た。その忠義の中身の浅薄さが一刀両断にされているのです。

I　進之助みたいな人って世間にいますね。わざわざ言いに来るような人。ここで成敗しておかなかったらまたずるずるあちらこちらに振りまいて、ゆくゆく藩のためにはならない人物。

父親は事情を分かったうえで愛情を持って育てていたと思います。また大炊介が乗り越えることが出来ると思っていたのではないかという気がします。それを待っていたがいろいろなことがあって、人が言うように狂気にまちがいがないなら、監禁するのはむしろ可哀想だ、いっそ命をちぢめてやるほうが慈悲だと思う、おれが命ずる、と言った。主人公に対する深い愛情が出ていると思います。

J　二三四ページの「ああよしてくれ」と主人公は遮った、に続くこさぶつまり兵衛との会話、「お前は経験したか、意見を言うなら、自分で経験し自分で確かめたことを言え、そうでなければ分かったようなことを言うな」の言葉、たいていの凡人は兵衛のように、お方様にはご事情があったのでしょうからその事情をお察しになって、というのはよくある常識的な言葉でしょうが、そんな程度のことではないということを大炊介は言いたかった。その気持ちが分かったのがさらわれた娘たちだと思います。よこしまな気持ちのまったくない娘たち全員に、可哀想と言わせたというのがすごいなと思いました。

司会　この言葉は確かに印象に残る言葉ですね。

A　これは作者の肉声のようにも聞こえるね。

J　題名は忘れてしまいましたが、周五郎の他の作品にも自分の子供ではないことを周りの人たちも分かっているけれども非常に愛するという筋のものがあって、これも同じだなと思いながらその共通性を感じましたので、最初から父親は分かっていると思って読みました。実子とか実子でないとかは関係ないんだよ、子供というのは自分の子でなくとも愛することが出来るんだ。山本周五郎にはそのような作品が多いという印象がありましたので、ここでもそうなのだとわたしは思いました。

E　先ほどAさんはこさぶは大炊介より器が小さいとおっしゃいました。そのこさぶですら、かれが進之助を斬った原因はなんだろう、そしていまの苦悩はなんだろうと考えて、そこから真実を追究しようと、いろいろな人に当って情報を収集したわけですよね。わたしはそのようなこさぶの行き方に共感しました。

そのような意味で、藩主であっても重臣からの報告を鵜呑みにするだけではなく、なぜそのようなことをするのかという疑問を自ら持つということはあり得ないことなのでしょうか。

A　兵衛だって、進之助を斬ったと聞いたときなぜだろうとは思わずに、斬ったこと自体を主人公が悔いているのであろうと考えるわけですね。大炊介と小姓組頭との関係で言えば、小姓組頭が大炊介と二人きりのとき、大炊介の逆鱗に触れるようななにかを言ったにちがいないということぐらいは考えたとしても、それがなんであるかを兵衛は考える必要を感じなかったのです。とにかくカッとなるようなことを言ったため斬ってしまったにちがいない、そのために悔いているのだろう、と考えるわけですね。このとき兵衛が、なにが原因だろうと真剣に考えていたら、またちがっていたかもしれません。

E そうですか。兵衛はなにが原因かを考えなかったのですかね。

A 兵衛が大炊介を斬る役として自分から名乗りをあげるのは、大炊介の乱行狼藉が繰り返されるからですね。

J 藩主が息子と直接対峙することをしなかったということですが、藩主の落胆と嘆きの深さは周囲の眼を背けさせるほどであった。ひそかに加持祈祷などもこころみたが、もちろん効果はなくうんぬんとあるように、藩主も努力をしているんですよね。

E だけどそれは主人公が病気だと思ったからですよね。

J そうです。それから息子と直接相対するというのは、現代の父と息子というようなわけにはいかない。でも愛情を持っていることは随所にうかがえますね。ですから兵衛のように直接行って理由を質すようなことは、藩主という位置ではちょっと出来ないのではないか。まして病弱であるということですしね。

A さっきも出たように、大炊介の側からは、父親からなぜ進之助を斬ったか訊かれたとき、無礼をしたからです、と答えています。無礼をしたのであればちゃんと調査して処罰しろと父親が言い、理由を申せと言うと、大炊介は言えませんと答えます。わけを言っても受け取り方は人さまざまで父上には笑って済ませられるかもしれませんがわたしには赦せなかった、と言っています。つまり問題はあくまで大炊介自身なのです。父親が大炊介の出生の本当の事情を知った上で溺愛したかどうかも分からないわけです。わたしは先ほど知っていたと思うと言いましたが、それはあくまでわたしが言ったことであって、作者は一言も、暗示めいたことさえも言っていませんからね。

E 作中人物の誰も大炊介の悲劇、苦悩の本質が分からなかったのですね。女たちにも分かっていた者はいなかった。

A 兵衛は理詰めで解き明かそうとする。でも女性たちは大炊介がなにかとてつもなく寂しいものを抱えていることを直感している。そういう分かり方ですね。

J そうですね、だから一生そばで尽くしたいと思うわけですよね。

司会 そろそろ時間が近づいています。講師から最後に締めくくりとしてお願いしましょう。

四　大器と獅子身中の虫

A これまでの議論を伺いながら、わたしの意見も述べさせていただきましたが、もう一度申しますと、一刀のもとに吉岡進之助を斬り捨てた大炊介は藩主になる器だったと思います。自分の出生に関わる重大な話を聞かされて目が眩んだが、それだけではなく気が付いたら相手を斬っていた。血刀を持って立っていた。一瞬のことだった。そして斬ったそのわけは金輪際人に言わない。父親にも言わない。そのまま、その後の生活で自分の命がちぢめられるように、わざと乱脈のかぎりをつくして日常を振る舞うわけです。

いっぽう、斬られた吉岡進之助は斬られるに値したと思うのです。もちろんこの小説が書かれた時代背景、条件を前提にしての話ですけれども。

吉岡という家来、わたしはこれが獅子身中の虫だと思いますね。一国を危うくするのはこのような忠臣面をした精神、神経、心根の持ち主がいるからです。老骨とは言え切腹自害して果てた進之助の両親のほうが、まだしも侍魂を持っていたと思います。進之助は二十一歳小姓組で二百石ですね、かれもまた藩のためを思うのであれば大炊介とこさぶつまり兵衛とのあいだにあるような情愛、友愛、敬愛そのようなものがあってしかるべきだったと思うのですが、そのようなものは感じられません。したがって大炊介は吉岡が真実を告げたその瞬間、かれを忠臣とは思わなかったはずです。逆に讒言をなす者と受け止めたと思いますね。

大炊介が藩主の器であるかどうか。かっとなって斬り捨てたように見えるが、周りの人々は誰一人理解していない。そこで人間的にためらって真偽のほどを確かめようと母親のもとに行ったりするのであれば、それは近代小説ですよ。山本周五郎はここで歴史小説を書いているのです。ですから歴史の制限や条件などからくる近代の感覚にそぐわない、もしくは違和感が感じられる面はあると思いますが、そこはこの小説の枠のなかのこととして考えるべきでありましょう。

大炊介が吉岡進之助は無礼をしたと言ったとき、それは言いわけでもなんでもなく、主人公にとってはまさに無礼以外のなにものでもなかったのです。むしろこさぶと言われる人物のほうが、吉岡を斬ったことが大炊介の心の傷になっているのではないかと考えている。ですからこのこさぶも根性のある男ではありましょうが、しょせん大炊介の上に出ることは出来ない人物なのです。

かれは自ら願って暗殺者としてやってきたが、その実なんとか助命を願っていろいろ事情を知ろうと聞き込みをする。そのことによってわれわれ読者はいろんなことを理解するのですが、ほんとうに核心となるほんとうのことは、大炊介の胸のなかにしかない。大炊介が打ち明けたのは、こさぶがなおという女に刺されて、動けば死ぬという場面にたちいたったからです。そうでもなければ最後まで、黙ったままこさぶに殺されていたはずです。両者は人間的な力量がやはりちがうとわたしなどが思うのはそのあたりなのです。

大炊介が抱え持った沈黙の重さ、深さというものは、こさぶでさえせいぜい真相の周辺までしかたどり着くことが出来なかった。まして、その他の人たちには想像の外だったと思います。

言ってはいけないことというものがある。それを言えばそれは忠義に反する。いや、それ以上になにか、人間として最も尊ばれなくてはならぬものを蹂躪することになるということがある。吉岡進之助はそれを少しも弁えなかった。若さゆえというだけでは済まされない人間の根本的な器量の問題です。

しかし、大炊介の悲劇は吉岡を斬ったあとに始まるのです。斬ったこと自体が悲劇の原因ではありません。藩主の戒めが戒めにとどまらず、閉門あるいは藩主の器に非ずと言われたのであれば、大炊介はむしろどれほど救われたことか。しかし実の父親ではない藩主は、お前こそ藩の跡取りであるという考えをなおも変えなかった。ですから大炊介はそれに答えなければならなかったのです。乱暴狼藉をはたらく人非人、密夫の息子として。この大炊介の悲劇的な逆説的な感情の深さと振る舞いの激しさは、吉岡を斬った間髪を入れないその行動の迅速さにも表われている、とわたしなどには思われるのです。

司会　話は尽きないようですが、時間が来てしまいました。今日はこの辺で終わります。みなさん、どうもありがとうございました。（拍手）

作者略伝

山本周五郎（一九〇三―六七）は大衆文学の作家と見なされてきた。だが自身は、自分が大衆作家であるとは露ほども考えていなかった。かと言って自分は純文学を書いているという意識もなかった。よい文学を書こうと心がけているのであって、高級文学か大衆文学か、あるいは文壇主流の文学かそれとも野に下ったようなかたちで、読む人にのみ読まれればいいというような高踏派ないしは偏屈ものの気取りがあったわけでもなく、自分は文学の王道を行っているという自覚が周五郎には一貫してあった。

映画監督の黒澤明は山本周五郎が好きで、周五郎の作品に取材して映画を何本も作っている。『赤ひげ』『季節のない街』『椿三十郎』などがそうである。さらに生前黒澤明がメガホンを取るまでにはいたらなかったものの、企画して脚本まで準備していた『雨上がる』という作品がある。のちに黒澤明に捧げるという献辞がついて映画化されている。実際、周五郎の作品は数多く映画化ないしドラマ化されている。『五辨の椿』『樅ノ木は残った』なども代表的なものにかぞえられる。

六十四年で生涯を終えた作家であるが、けっして長い人生とは言えないにもかかわらず、あれだけの作品をこの世に残したということは、作家として大作家と言えよう。

周五郎の代表作の一つとされる短編連作に『日本婦道記』という作品がある。これが直木賞候補になったとき本人は直木賞と聞いて辞退して、それ以後生涯ただの一度も「賞」というものを受けなかった。その直木賞辞退の弁はこうだった。

「自分はすでに賞を受けている、自分の本を活字にしたいと言ってくださる編集者並びに読者のみなさんからすでに賞を受けているのと同然なので、このうえ何々賞という名の付くものをいただくのは僭越のいたりである、どうか謙遜の気持ちで辞退するということをご理解していただいたうえで、わたしの辞意をお受けいただきたい」

ここに山本周五郎の偏屈な性格が表われていると見る向きもあって、親しい間柄だった尾崎士郎は「曲軒」というあだ名をつけた。山本周五郎は自分の長い名前を略して「山周」と呼ばれるのを極度に嫌ったが、「曲軒」と呼ばれるほうをむしろ好んだというエピソードも残っている。

山本周五郎質店の主人からの影響を強く受け、主人のことを親父と言っていたという。その親父がよく周五郎に語った。わたしはいまお前に出来るだけのことをしてやっているつもりだが、わたしが死んだあとでさいわいにして成功したとしても、残った家族になにをしてくれなくてもいいんだよ。わたしがおまえのような好青年にめぐり会えたことはわたしにとっても大きなしあわせだった。だからおまえが一人前の物書きになれたら、そのときは誰でもいい、おまえの前に現われた好青年に出来るだけのことをしてやってくれ。それがほんとうの人間の財産なのだ、と。

骨肉の情愛よりも、袖触れ合うも他生の縁というように、精神的な絆のほうをはるかに重んずるそのような結びつきが両者のあいだに存在した。それがさまざまな作品のなかに大なり小なり影を落としている。

このようなエピソードを読むにつけても、「大炊介始末」の藩主相模守高茂はなにもかも知っていたのではないかとますます思われる。だからこそ主人公の苦しさもまたいっそう深いものになった。孤独地獄、悲劇がどんどん深まっていったと考えられる。

山本質店の親父さんが卒中でたおれて息を引き取ったときの挿話も記憶に値しよう。多くの人が死に顔を見に行ったが、周五郎はおれは行かないと言った。そんな時間があったらおれは読者のためによりよい小説を書く努力をする、と。人間いつかはかならず死ぬ、人間の付き合いは生きているあいだだけのことだ、死んでしまってからでは間に合わない、だから人間はいまのいまお互いの現在の人間関係を大切にしなければならない、おれはそう思うと言って通夜にも葬式にも出なかったという。これが「曲軒」の真骨頂であった。

付記

二〇一〇年六月、本郷文化フォーラムワーカーズスクールにて。当日参加されたみなさんに感謝したい。
なおここで使用したのは新潮文庫版である。

愛のはなし――『柳橋物語』

ひとつの教訓を導くにはあまりに過酷な人生を作家は主人公に与えた。それだけに、ラストで得られる爽快感には凄まじいものがある。元禄の江戸が舞台の『柳橋物語』。祖父源六とつましくも平穏な日々を送ってきたおせん。幼馴染にプロポーズを受けた日から、彼女の人生は急速に動き出す。大工の庄吉は杉田屋の跡取りの地位さえ望んでいたが、仕事上のライバル、幸太がそこの養子に決まり、望み潰えてしまう。ライバル意識がそれにとどまらないのは、幸太もまたおせんに思いを寄せていたからだ。

庄吉は彼女に、これから上方に出て頭領の株を買うだけの金を稼ぐのに少なくとも三年待っていてくれるかと問う。自分が去れば幸太は必ず言い寄ってくるだろうが、と釘までさして。

私なら絶対に待てない。いや、待たない。でも十七歳の少女なら？　一途な情熱を掻き立てられたおせんは、待っていると即答した。二人の将来を固く信じ、文通さえ許されない状況にもめげず、恋人との約束を守ることに懸命だ。その健気さは応援したくなるものの、幸太が哀れすぎる。おせんは頻繁にやってくる幸太から隠れるばかりでなく、手厳しく拒みさえする。そんなある日、源六が倒れ、おせんは一段と心細い境遇におかれてしまう。さらには江戸の東側を焼き尽くすような大火事だ。家に留まろうとする源六を置いていけないおせんを助けたのはほかならぬ幸太であった。ここで読者ははっきりと悟る。幸太のおせんへの思いは、くもりなき愛！　彼は積年の思いを打ち明け、力尽きて神田川に沈む。

大火後、記憶を失ったおせんの腕に抱かれていたのは親の知れぬ乳児であった。彼女は親切な夫婦に保護され、子は彼らによって幸太郎と名付けられた。幸太と同じ響きをもつその名に、おせんは激しく反応する。実の子ではないが、何か因縁のようなものを感じ取る彼女に降りかかるさらなる悲劇は、上方から戻った庄吉の誤解と世間からの孤立だった。読んでいていちばん辛いところだ。生きる理由だったはずの庄吉から見放されたおせんに寄り添ったのはどんな人たちだったか、彼女は真実の愛に気付くことができたのか。クライマックスにむけて積み上げられたエピソードが怒涛のように転換し、どん詰まりで堰き止められていた母子の前途を一気に開放するような筋立ての見事さは圧巻である。　（杉田絵理）

〈特集・山本周五郎〉

不確かさへの不安
――山本周五郎『さぶ』

山本恵美子

1

あなたは山本周五郎の『さぶ』を読んだことがあるでしょうか。この作品を読んでいるときに思い浮かんだのは、あなたのことでした。

『さぶ』は山本周五郎が晩年に発表した長編作であり、江戸を舞台にした時代小説です。物語は「小雨が靄のようにけぶる夕方、両国橋を西から東へ、さぶが泣きながら渡っていた。」という一文から始まります。「雨と涙でぐしょぐしょになった顔」のさぶを追いかけてきたのは、さぶと同じ十五歳の少年、英二でした。英二は「おもながな顔の濃い眉と、ちいさなひき緊った唇が、いかにも賢そうな、そしてきかぬ気の強い性質をあらわしている」といいます。二人は芳古堂という表具屋で奉公しているのです。

さぶは芳古堂で奉公を始めてからというもの、休む間もなく小言と嘲笑と平手打ちを浴びてきました。自身に過失がないにもかかわらず、さぶは周囲の人から見下されたり、ばかにされたりしてしまう不遇な少年なのです。日頃から不遇や不運を嘆きがちなあなたはきっと、「自分はさぶと同じだ」と感じるのではないでしょうか。

冒頭の橋の場面では、芳古堂を逃げ出し葛西にある実家に帰ろうとするさぶを英二が引き止め、二人は一緒に芳古堂へ帰っていきます。さぶは両親からも愛情のある扱いを受けてきたわけではありません。猫の額ほどの田畑しか持たない貧しい実家に帰ったところで、笑顔で迎えられる由もないのです。そのことを英二は知っていたのでした。

利発で風貌もよく、人から愛される英二と、要領が悪く人に見下されるさぶ。同い年の二人ですが、仮に兄弟でたとえるなら英二が兄であり、さぶが兄を慕って頼る弟といえるでしょう。そしておそらくさぶにとっては、英二がたった一人の友人なのです。

また、職人としての腕も、英二は屏風を任されるまでになる一方、さぶは一向に糊の仕込みより先に進めません。さぶはその胸の内を次のように英二に話します。

「栄ちゃんはいつか、糊の仕込みで日本一になれば、それで立派な職人だと云ってくれた、そのとおりだろう、その場かぎりのなぐさめじゃあねえだろうが、糊作りだけじゃあ自分の店は持てやしねえ、よくいって一生涯、芳古堂の飼いごろしじゃあねえか」

それに対して英二は、いつか二人で一緒に店をもつことを考えていると打ち明けます。そしてこう続けるのです。

「――おめえはな、さぶ、おれにとっては厄介者どころか、いつも気持ちを支えてくれる大事な友達なんだ、正直に云うから怒らねえでくれよ、おめえはみんなからぐずと云われ、ぬけてるなどとも云われながら、辛抱づよく、黙って、石についた苔みてえに、しっかりと自分の仕事にとりついてきた、おらあその姿を見るたびに、心の中で自分に云いきかせたもんだ、――これが本当の職人根性ってもんだ、ってな」

こう言われたさぶが何を思ったかは、語られていません（邪魔が入り会話が途切れてしまうからです）。あなたなら、この言葉に何を感じるでしょうか。自尊心の強いあなたは、満足できないかもしれません。わたしはどうだろうと考えてみました。英二の言葉が心からの友情から来ていることは疑いようがないけれども、「英二の気持ちはとてもうれしいものだが、英二と比べるとやはり自分は日陰者であり、そのなかで生きるのがふさわしい道なのか……」との思いが澱のように胸の中に沈むのを感じても、不思議はないと思われました。

いずれにしてもこの言葉から、英二がさぶを必要としていることがわかります。しかしこのときの英二はまだ、自分がなぜさぶを必要としているのか、その真の意味を理解してはいませんでした。英二にとってさぶの存在は、職人として生きるうえで励みになるということ以上に、もっと深い意味をもっていたのです。

2

小説の題名になっているのはさぶですが、やがて読者は、さぶではなく英二を中心に物語が展開していくことに気づきます。

これまで順調に職人として腕を上げていった英二でしたが、得意先の綿文《わたぶん》という両替商で盗みの疑いをかけられてしまいます。綿文の所有する高価な金襴の切が英二の道具入れから見つかったのです。まったく身に覚えのない英二には、綿文の誰かが英二を陥れようと謀ったとしか考えられませんでした。

しかし、誤解を解く機会も与えられず、芳古堂から暇を出される形となった英二は、自暴自棄になり、喧嘩沙汰を起こして役人に捕えられます。黙秘を続ける英二は無宿人として、江戸の石川島にある人足寄場に送られることになりました。『さぶ』は英二の挫折と再起が一つのテーマになっているのです。

ところで人足寄場とは、正しくは加役方人足寄場といいます。一七八九年、火付盗賊改《ひつけとうぞくあらため》の長谷川平蔵が老中の松平定信に提案し、江戸の石川島に設置されました。人足寄場は刑罰の終えた罪人や無宿の人を対象とした、今でいう更生施設でした。

英二は復讐心を胸に秘めて、心を閉ざし淡々と寄場の労働に従事します。寄場を出たら自分をこのような境遇にした奴ら全員に仕返ししてやる。それが英二の生きる気力となりました。


さぶの境遇にあなたのことを思い出したわたしですが、今度は英二の姿があなたに重なりました。あなたもまた、自身の不遇を悲しみ、怒り、誰かを恨み、さらに、そうした今の自分に苦しんでいます。

これは幸いなことと言わなければなりませんが、わたしは誰かを恨まずにはいられない――あるいは、恨まなければ自己を保つことができない、と書いてもいいと思いますが――そうした経験に見舞われたことはこれまでにありません。ですから、これからわたしが述べることは、想像力に頼ったものになります。

不幸な目にあった人はその原因や理由を、非常な切実さをもってどこまでも追究するように思います。失われたものに対する喪失感と後悔に耐えることができずに。なぜ自分がこのような目に合うのか？　こんな不幸がわたしの身に起こるのは不当ではないのか？　誰のせいなのか？　他人が悪いのでなければ、わたしが悪いのか？　わたしは何か過ちを犯したのか？　しかし、わたしたちが生きているのは、大悪人が存在する勧善懲悪の世界ではありません。不幸の原因を丸ごと帰することができる、言い換えれば、ありったけの恨みをぶつけることのできる相手が、生身の人間のなかにいるかといえば、どこにもいないのではないでしょうか。

いったい人は、自分が納得できる不幸の原因なり理由を見つけることができるものなのか、と思わざるを得ません。果たして、堂々巡りの思考がいつか答えに辿り着くことはあるのでしょうか。結果にはその大きさに見合うだけの原因がある、また、そうであらねばならない、という考えにがんじがらめになり、自らを地獄に追い詰めているとも考えられるのです。

3

綿文での盗難事件で人を信じられなくなった英二ですが、英二は人を信じる根拠を必要とする人間のように思います。

彼のさまざまな言動から判断すると、英二は論理的な思考をする人であり、物事には理由があるという考えを持っていると言えます。たとえば、そのことがわかる一例として、人足寄場の仲間が——人足寄場で生活するうち、英二は自分と同様に人生の苦杯を飲んできた寄場の人々と心を通わしていったのですが——崩れた石垣の下敷きになった英二を必死で助けたり、療養中の英二を足しげく見舞ったりすることに対し、「おれはこの人たちになにをしてやった覚えもない」のだから、そんないわれはないと考え、不思議に思うのです。

それに対し、やさしく反論するのがさぶです。さぶは控えめな性格ではありますが、実は決して人の言いなりとなって生きているような人間ではありません。さぶの口癖は「おら、思うんだが」であり、さぶはしっかりと自分の考えをもち、それを言える人です。

「人間のすることに、いちいちわけがなくっちゃならない、ってことはないんじゃないか、お互い人間てものは、どうしてそんなことをしたのか、自分でもわからないようなことをするときがあるんじゃないだろうか」と、英二を諭すようにさぶは語りかけます。いつか、橋まで自分を追いかけてきてくれたのは、何かわけがあったのかい。それと同じじゃないのかい、と。

さぶは盗難事件で英二の無実を疑うことはありませんでした。「栄さんがそんなことをする道理はない、たとえ氷に火のつくことがあっても、栄さんがそんなことをする筈はない」とさぶはおすえに語っているのです。さぶのこの強さはどこから来るのでしょうか。たとえ裏切られてもそれを受け止めるだけの精神の大きさを、さぶはもっているからでしょうか。

さぶという人間の本質を次の台詞に垣間見ることができます。母親が臨終の床にあることを知り、葛西の実家に行きたいと言うさぶに対し、英二は不機嫌になります。

これまでの仕打ちを考えれば、母親なんて言えた義理ではないじゃないか。なぜ行きたがるんだ。英二はさぶが理解できずいら立つのです。英二からすると、さぶの主張は筋の通らない行為にしか見えないのでしょう。

さぶは英二の妻のおすえを前に、自分の気持ちをこう説明します。

「でも、おら思うんだが（中略）おらに辛く当たったのは親きょうだいのほうで、おらはべつに咎になるようなことはしなかった」

「つまり、どんなにひどい扱いをされても、おらにとっておふくろはやっぱりおふくろだ、もしもおらのほうで咎になるようなことをしていたんならべつだが、そうでなければ、おふくろの死水をとりにいってやっても悪かあねえと思うんだ」

おすえはこの論理を理解できなかったと書かれています。さぶは自分なりの柔らかい表現で、英二の怒りは理不尽ではないだろうかと言っているのでしょう。さぶは相手を愛することと、相手から愛されることを切り離して考え、行動する人なのです。さぶの愛は相手がさぶをどう思っているかに左右されません。また、このように言うこともできるでしょう。さぶは、自分はどうすべきかを自分の心に問い、自分の心に誠実に行動しようとするのだと。ここにさぶの強さがあると思います。

4

一方の英二は弱さを抱えた人間です。寄場を出て新たな生活が始まり、二人で開いた店もようやく展望が見えてきたというところで、ほかでもないさぶが英二を盗人として陥れた張本人だと、信じてしまうのです。

英二はさぶの仕込んだ糊桶の蓋の裏に張り付けられた紙切れを見つけます。そこには「おらがわるかった。栄ちゃんがあの切のことで島送りになったのは、おらの罪だ、一生かかっても、おらはこの罪のつぐないをしなければならない」と書かれていました。この言葉の意味するところは、英二にとって納得しやすい物語の筋書きにほかなりませんでした。英二が人足寄場にいる間のさぶの英二に対する行いは、小僧のころからの付き合いだとしても度が過ぎている。償いのためであればいっそよっぽど理解できる――ということです。このとき、英二の中にいるさぶはいったい、どこに行ってしまったのでしょうか。さぶを信じることができない英二は、言い換えれば、自分を信じることができないのです。

その場にいたおすえは冷静に英二に反論します。ほかの人ならいざ知らず、さぶならば、事件の起こったとき自分も一緒にいたのに、大切な英二の災難を防げなかったのは自分の罪だと考えてもおかしくはないはずだ、と。そして、おすえの口から驚くべき真相が告げられます。金襴の切を英二の道具入れに忍ばせたのは、綿文の主人の娘と英二の縁談を恐れたおすえだったのです。

わたしは、その告白を聞いた英二が狼狽し、おすえを冷たく拒絶してもおかしくないと思いました。しかし英二は、むしろやさしくおすえを抱きしめます。思うにその心にあったのは、おすえへの怒りよりも、「さぶが犯人ではなかった」という安堵だったのではないでしょうか。言い換えれば、自分はさぶを信じていいのだ、と英二は安心したのではないかと想像されるのです。

さぶのことは、「さぶだから」ということを根拠にして信じてもいいのかもしれない。英二がさぶを必要としてきたのは、世の中の不確かさに対する不安を無意識に感じていたからではないでしょうか。物語の中で英二が突如、人生を転落させていくのは不確かさの象徴でしょう。また、英二は実際に「にんげんは一寸さきのことだって、本当はどうなるか見当もつきあしねえ」と言っています。英二は確かな存在を欲しており、我知らず、さぶのうちにそれを見出していたのではないかと思われるのです。

わたしは、英二と同じ状況に陥った時、さぶを疑う心をまったく持たないと、自信を持って言えるだろうか、と思わずにいられません。英二の弱さはわたしの弱さでもあります。世の中の不確かさを感じながら、その感覚を頭の隅に追いやり、日常を過ごしてはいないか。

あなたはわたしよりもずっと、人生の不確かさの問題に切実に直面しています。そして思うのは、復讐のことだけを考えていたときの英二のように、いえ、それ以上に、自意識の深く深くへと落ちていくあなたに、『さぶ』を読んでもらえたら、ということなのです。

〈トルソー〉

善き羊飼いの教会

――表紙解題として

竹地冬和

小さな教会が湖畔に佇む。一九三五年、地元の石材のみを使って建てられた。善き羊飼いの教会と名づけられた。ここに入植した開拓者たちの魂のよりどころとなった。それまで人々は各自の家で礼拝していたという。

湖水の名はテカポ湖。北と南の二つの島からなるニュージーランド、その南島のほぼ中央に位置する。湖の向こうに目を投げると、雪を戴いた連峰が眺められる。陽が落ちる。山々の上空に光の点が現われる。初めは一つ、二つ、三つと数えられる。やがて点は増え始める。徐々にではない。急激に数を増すのだ。こうして大空に光の砂が散乱する。

湖畔で見上げる南半球の星空はずば抜けて美しいと言われる。事実、丘に登ると天文台が設けられている。近年評判が高くなるにつれ、世界中から観光客が集まってくるようになった。小さな教会の写真がネット上に多数アップされている。いずれも天の川はじめ満天の星空を背景にした見事な写真ばかりだ。

当然ながら大小さまざまの宿泊施設が増築され、また成り行きで周辺には娯楽施設も次々と建設される。飲んではしゃいで嬌声を上げる若者も増えたという。深い静寂が失われつつあることは避けられない。要するに地球上のあらゆる秘境がそうであるように、この湖も急速に「俗化」の波に洗われつつある。

わたしは二〇一七年の三月に長年勤めた大学を退職した。前年暮れからニュージーランドに出かけ、年明けの六日まで滞在した。それまで南半球に出かけたことはいちどもなかった。ニュージーランドを選んだ理由は、そこが現代英文学の歴史に特異な足跡を記した短編小説作家、キャサリン・マンスフィールドの生まれ故郷だったからだ。

といっても、彼女が生を享けたのは北島南端に位置する首都ウェリントンである。南島中央部にあるテカポ湖とは距離的に隔たりがある。だから、湖にまで足を運ぼうと思ったのはマンスフィールドとは関わりがない。それでもこの湖が見たかったし、星空も見たかった。一般観光客となんら変わりがない動機に駆られて出かけたわけだ。

なにより惹かれたのが善き羊飼いの教会と名づけられた小さな教会だった。

わたしの写真にその教会はあるが星はない。だが、星はある。見られよ、ここに集う人々は心に星を宿していたのだ。

〈万葉のうた〉

大宰府と「梅花の宴」

堂野前彰子

一　大宰府

天平二（七三〇）年正月十三日、大宰府の大伴旅人《おおとものたびと》の邸宅では、「梅花の宴」がひらかれていた。正月十三日は太陽暦にすると二月八日頃にあたり、ほころびはじめたばかりの梅の花を前にして、三十二名の官人たちが宴に集《つど》った。梅が満開になるにはまだ早く、よってこの梅は幻想であって現実ではなく、「梅花の宴」も実際にはなかったのだと解する学者もいる。しかし現実か否か、歴史的事実かどうかなどは、歌そのものの解釈においては無用なこと、文学とはそう信じた人々の記録であり、歴史とは無関係に存在するものだ。

この宴がひらかれた大宰府は、有事に備えた「那津官家《なのつのみやけ》」を軍事的起源とし、六六三年の白村江の敗戦を機に水城《みずき》など防衛施設が造営され、西海道《さいかいどう》の軍事権を一手に掌握するようになった。その一方、平和時には高句麗や新羅の使節を饗応する外交施設でもあり、大陸の新しい文化が最初に花開く、流行最先端の地でもあった。『続日本紀』神護景雲《じんごけいうん》（七六九）三年十月条によれば、「此の府は、人物殷繁《いんぱん》にして、天下の一都会なり」と、大宰府は物資が豊富で交易が盛んな天下有数の都会であったという。当時最大の大国でも九名であった官人の定員が、大宰府では五〇名に及ぶというのだから、その規模の大きさや担っていた役割の重要さは容易に想像できるだろう。『万葉集』では「遠《とほ》の朝廷《みかど》」とうたわれ、大宰府に赴任する官人たちはそれを誇らしく思っていた。

大君の遠の朝廷とあり通ふ島門《しまと》を見れば神代《かみよ》し思ほゆ

（巻三・三〇四）

大君の遠い朝廷である大宰府に通うために、人々がしきりに行き来する明石海峡を見ると、神代が思われることだ（三〇四）。

これは柿本人麻呂《かきのもとのひとまろ》が筑紫の国に下る際、その海路において詠んだ歌である。明石までが畿内であった古代において、明石海峡を過ぎて西に向かうことは、未知なる世界に足を踏み入れることであったが、多くの官人たちが足繁く通う大宰府を「遠の朝廷」と寿《ことほ》ぎ、国生み神話で最初に誕生した淡路島に神代の太古を偲んでいる。

とはいえ、当時のきまりでは、大宰府へは妻子を都においての単身赴任であり、遠く離れた故郷を恋しく思うこともしばしばあった。

大君の遠の朝廷と思へれど日《け》長くしあれば恋ひにけるかも

（巻十五・三六六八）

ここ大宰府は大君の「遠の朝廷」だと思うものの、こんなに長いあいだ離れていると、都が恋しく思われる（三六六八）。

この歌は遣新羅使が筑紫国に滞留した時に詠んだもので、ここにいう「遠の朝廷」は大宰府ではなく、天皇に任を与えられた官人のこととも解せるのだが、都を離れて遠くにいる日が長くなると、家が恋しくなるとうたっている。大宰府官人の中には、帰京する日を指折り数える者もいたに違いない。このような望郷の念は、大宰府に暮す官人たちに共通する想いでもあった。

二　詩宴

この一連の「梅花の歌」（八一五～八四六）が収録されている『万葉集』巻五では、それまでに見られなかったような新しい試みがなされている。その一つが漢文で書かれた「序」を付すことで、「梅花の歌」にも作歌事情を述べた「序」がある。「序」という言葉や、それが漢文で書かれていることからもわかるように、このような形式は中国漢詩の影響を受けている。以下その「序」の全文を示そう。

梅花の歌三十二首 併せて序

天平二年正月十三日に、帥老《そちのおきな》の宅《いへ》に萃《あつ》まりて、宴会を申《の》ぶ。時に、初春の令月《れいげつ》にして、気淑《よ》く風和《やはら》ぐ。梅は鏡前《けいぜん》の粉《こ》を披《ひら》き、蘭《らん》は珮後《はいご》の香《かう》を薫《くゆ》らす。しかのみにあらず、曙《あした》の嶺《みね》に雲移り、松は羅《うすもの》を掛けて蓋《きぬがさ》を傾《かたぶ》け、夕《ゆふへ》の岫《くき》に霧結び、鳥は縠《うすもの》に封《と》ぢらえて林に迷《まと》ふ。庭には新蝶《しんてふ》舞ひ、空には故雁《こがん》帰る。ここに、天《あめ》を蓋《きぬがさ》にし地《つち》を座《しきゐ》にし、膝《ひざ》を促《ちかづ》け觴《さかづき》を飛ばす。言《げん》を一室の裏《うち》に忘れ、衿《きん》を煙霞《えんか》の外《そと》に開く。淡然《たんぜん》と自《みづか》ら放《ほしいまま》にし、快然《くわいぜん》自ら足る。もし翰《かん》苑《えん》にあらずは、何をもちてか情《こころ》を攄《の》べむ。詩に落梅《らくばい》の篇《へん》を紀《しる》す。古今《ここん》それ何ぞ異《こと》ならむ。よろしく園梅《ゑんばい》を賦《ふ》して、いささかに短詠を成すべし。

天平二年正月十三日、大宰府長官である大伴旅人の家に集まって宴会をひらいた。時に初春の良い月にして、気は清らかに澄み渡り、風も穏やかにそよいでいる。梅は鏡の前で装う美女の白粉のような白い花を咲かせ、蘭は貴人の帯を飾る匂い袋のような良い香りを漂わせている。そればかりか明け方の嶺には雲がたなびき、松は薄絹をまとってきぬがさを傾けているような風情で、夕方の山の洞には霧が起こり、鳥はその霧に閉じ込められて林に迷う。庭にはこの春生まれたばかりの蝶が舞い、空には年を越した雁が飛び去ろうとしている。ここに天をきぬがさにして地を座とし、膝を近づけて酒杯を酌み交わせば、言葉を忘れて、雲霞の彼方にむかって胸襟《きょうきん》を開く。淡々と心のままにふるまい、それぞれが満ち足りている。この心のうちを詩歌文章にしなければ、どのようにして心情を述べることができよう。中国の詩にも落梅の賦がある。今も昔も異なることはない。庭の梅を題として、歌に詠じようではないか。

この「序」では、「梅」と「蘭」、「鏡前」と「珮後」、「曙の嶺」と「夕の岫」など対句が多く用いられ、そのような修辞法のみならず、文言の多くが漢籍から引用されている。元号「令和」の出典とされる「初春《しょしゅん》の令月《れいげつ》にして、気淑《よ》く風和《やはら》ぐ」というくだりも、中国の詩文集『文選《もんぜん》』に「是《ここ》ニ仲春ノ令月ニシテ、時和《やはら》カニ気清《す》メリ」とあるのが典拠で、「序」そのものが王羲之《おうぎし》の「蘭亭序《らんていじょ》」を下敷きにしているという。昨年の四月一日、国書からの出典に日本中が湧いたが、正確に言えば、「令月に風が和む」という表現は漢詩からの引用であり、そこに日本的な何かを見出すことは難しい。

また、梅にしても中国原産の植物であり、万葉の時代、おそらくそれは輸入されたばかりの珍しい花だった。『万葉集』にうたわれた花の中で、一番多いのは萩の一三七首で、梅はそれに次いで二位、一一九首を数えることができる。梅を詠んだ歌を概観してみると、梅は貴族たちの家の庭に植えられ、それを賞美する宴がひらかれていたことがわかる。そしてそのような宴の席で梅を詠むことも中国の詩宴を模しており、白梅を雪に擬えたり、柳や鶯と取り合わせたりする歌の表現も漢籍を手本としている。中国から伝えられたのは、梅という植物ばかりではない。それを愛《め》で歌にするという風流もまた輸入されたということであり、そのような最新の文化は、海外交流の窓口であった大宰府であればこそ受容することができたのであった。

三 「梅花の歌」

では、「梅花の歌」のすべてが中国風であったかというと、そうではない。三十二首の歌の中で、梅は「折る」「かざす」「遊ぶ」などの語とともにうたわれており、それは、梅の枝を折って挿頭《かざし》にし、神とともに遊ぶという祭祀的な儀礼があったことを示している。歌群の中で時折「かざす」という言葉が詠まれるのも、実際の宴において草花のかずらを身に付け舞ったからで、宴には舞による中断があったとも考えられている。もちろん、中国にも花枝をかざす風流はあり、何が日本独自の風習なのか見分けることは難しいが、「梅花の歌」では中国詩宴の習俗と日本古来の祭祀が一つになっているように見える。

正月《むつき》立ち春の来《きた》らばかくしこそ梅を招《を》きつつ楽しき終《を》へめ　大弐紀卿《だいにきのまへつきみ》（巻五・八一五）

梅の花今咲けるごと散り過ぎず我が家《へ》の園《その》にありこせぬかも　少弐小野大夫《しょうにをののたいふ》（巻五・八一六）

梅の花咲きたる園の青柳《あをやぎ》はかづらにすべくなりにけらずや　少弐粟田《あはたの》大夫（巻五・八一七）

春さればまづ咲くやどの梅の花ひとり見つつや春日《はるひ》暮《くら》さむ　筑前守《つくしのみちのくちのかみ》山上《やまのうへの》大夫（巻五・八一八）

世の中は恋繁《しげ》しゑやかくしあらば梅の花にもならましものを　豊後守《とよのみちのしりのかみ》大伴大夫（巻五・八一九）

梅の花今盛りなり思ふどちかざしにしてな今盛りなり　筑後守《つくしのみちのしりのかみ》葛井《ふぢゐの》大夫（巻五・八二〇）

青柳《あをやなぎ》梅との花を折りかざし飲みての後《のち》は散りぬともよし　笠沙弥《かさのさみ》（巻五・八二一）

我が園《その》に梅の花散るひさかたの天《あめ》より雪の流れ来《く》るかも　主人《あるじ》（巻五・八二二）

正月になり春となったなら、このように梅の花を迎えて楽しみのかぎりをつくしましょう（八一五）、とその日最も身分の高い紀卿が口開きの歌を詠むと、梅の花よ、今咲いているように散り過ぎることなく、この宴の庭にもずっと咲き続けていて欲しい（八一六）、と小野大夫が承け、粟田大夫も、梅の花が咲いているこの園の青柳はかずらにできるほどに芽吹いたことだ（八一七）、と後を続ける。山上大夫が、春になるとまず咲く庭の梅の花を、あなたはたったひとり見ながら春の長い日を暮すのですか（八一八）、と梅を眺めている人に焦点をあてて流れを転じると、さらに大伴大夫は、世の中は恋心が尽きないもの、こんなことならいっそのこと梅の花になりたいものです（八一九）、と返す。続く葛井大夫は前二首で持ち出された恋心を承けることなく、梅の花は今が盛り、気心の知れたもの同士、それをかざしにしよう、今は梅の花が盛りだ（八二〇）、と仲間を宴に誘う歌を詠み、次の笠沙弥もまた、青柳と梅の花を折りかざしてともに飲んだなら、その後は散ってもよい（八二一）、と宴の楽しさを強調する。これまでが宴の主賓ともいうべき人々の歌で、前歌を承けながら鎖のように歌は詠み継がれている。

これら七首を承けつつ、八首目にしてようやく宴の主《あるじ》大伴旅人が、私の園に梅の花が散る、遠く天より雪が流れ来たかのようだ（八二二）、と白雪と見紛うばかりに咲く梅を寿ぎ、以下二十四首、梅が「咲」き「散」ることを「雪」に譬えながら、ともに梅を愛でることのできた今日の日を喜んでいる。

さて、この「梅花の歌」冒頭八一五の初句は「正月立ち」である。「月立つ」とは「立春」「立夏」などに同じく暦法による表現で、それはおそらく、漢語をやまと言葉によみ下した斬新な試みであった。八一六の「我が家の園」の「園」にしても、それは飛鳥時代に大陸から伝えられた文化であり、内苑や禁苑のように、宮殿に付属した庭園をさす。その「園」には池があり、池には蓬莱山に見立てた島があって、さらには様々な植物が植えられ、珍しい動物が放し飼いになっていたという。歌という日本独自の詩の形式においても、そこにうたわれているのは漢詩の世界であった。

実際、奈良時代には多くの漢詩が作られていた。都では長屋王《ながやおう》をパトロンとした詩壇があり、長屋王の佐保《さほ》邸でひらかれた詩宴には、数多くの官人や文人をはじめ、新羅の使節なども参加していた。そのような宴で詠じられた漢詩は、七五一年に編纂された『懐風藻《かいふうそう》』に収められていて、そこには六朝《りくちょう》や初唐《しょとう》の詩から引用した言葉が散りばめられている。『懐風藻』全体を通して、論語や老荘の言葉が引用されているために、儒教思想や神仙思想がすでにあったとされるが、単に語句を用いたというレベルに過ぎず、それら思想が深く理解されていたわけではない。その『懐風藻』に残された旅人の詩に「梅雪《ばいせつ》残岸《ざんがん》に乱れ、煙霞早春《えんかそうしゅん》に接《つら》く」とあり、それが「梅花の歌」の「序」の主旨と同じであることからすると、旅人が「梅花の歌」で試みたのは、中国詩宴の再現であったのかもしれない。

ところが、その「正月立ち」や「園」という漢語が、八一八においては「春されば」や「やど」というやまと言葉に置き換えられている。八一八で試みられているのは、梅から恋心を連想することだけではなかった。漢詩の世界をやまと風に解釈しなおしており、そのような言葉の変換に伴い、言葉の意味や概念も融合している。中国詩宴の模倣であったものが、この歌においては日本の宴に翻訳されているのであり、この歌を詠んだ山上大夫とは、遣唐使として中国に渡ったこともある知識人、山上憶良のことであった。

四 「園」と「庭」

『万葉集』における宴は、その回数および歌数では万葉第四期に集中し、作者別では大伴家持《やかもち》が群をぬいて多い。この「梅花の宴」より前にひらかれたのは大宝二年の宴のみ、万葉の宴文化は、まさにこの歌群からはじまっている。もちろんそれ以前にも天皇主催の「豊楽《とよのあかり》」があり、そこでは神を迎えて寿歌がうたわれ、歌舞もなされていた。そのような場における一回かぎりの歌詠は、書き留められることはなく、それが本来の宴の在り方でもある。

そのような宴の伝統にあって、この歌群では宴の参列者すべての歌が記されており、それは『万葉集』の中で唯一のことであった。はじめから書記することが目論まれていたかのように見え、三十二首に続いて、宴に参加しなかった人の歌や追和された歌を記しているのも、この歌群において新しい宴の形を示したかったからだろう。いうなれば、祭祀を中心とした豊楽から宴へ、宮中から私邸へ、宮廷歌から個人詠へという変化の合流点に「梅花の歌」は位置しているのであり、ここに漢詩文を媒介とする詩宴が誕生している。そしてその宴の中心にあるのが「庭」であった。

庭とは、本来神事などを行う限定された場所（沙庭《さにわ》）の意であり、そこから転じて漁を行う海面や農作業の場をさすようになった。「庭」とほぼ同じ意の「やど」は、本来建物そのものを言い、その建物の戸口や庭先をも含むようになって、広義には泊まるという意にも用いられた。『万葉集』の「庭」や「やど」の例を見てみると、梅や橘が咲き、雪が積もる庭の風情を歌にすることが多く、その草木は妻とともに植えた思い出のものであった。

我が背子《せこ》を今か今かと出《い》で見れば沫雪《あわゆき》降れり庭もほどろに
（巻十・二三二三）

秋さらば見つつ偲《しの》へと妹が植ゑしやどのなでしこ咲きにけるかも
（巻三・四六四）

恋しけば形見《かたみ》にせむと我がやどに植ゑし藤波今咲きにけり
（巻八・一四七一）

私の愛しい人の訪れを今か今かと思って出て見ると、淡雪が降った庭に雪がまだらに残っている（二三二三）。秋になったらそれを見て思い出して欲しいと妻が植えたなでしこが、庭に咲いているよ（四六四）。恋しくなったら形見にしようと思って私が植えた藤は、今咲いていることだ（一四七一）。

恋人が来るのを待ち続けた庭には、なでしこや藤が植えられていて、その草木を見て万葉人は、今ここにはいない誰かを思い出している。巻二に収められている草壁《くさかべ》の皇子《みこ》挽歌にしても、主人がいなくなって荒れ果てた庭に亡き皇子の面影を見出しており、それは「庭」が故人にとって特別なものであったからだ。中国の「園」が権力の象徴として存在し、来賓をもてなすためのものであったのとは異なり、万葉の「庭」は、そこに暮す人の心を慰めるものでもあった。「庭」が「やど」と同義であるのも、それが生活空間の一部であったからだろう。非日常の空間であった「園」に対し、万葉の「庭」は、日常生活の一部であり、万葉人はそのような個人的な「庭」に故人の日常を偲んでいた。

五　「ひとり」いること

「梅花の宴」がひらかれた七三〇年、旅人は六十六歳であった。元明朝から元正朝にかけて順調に昇進し、征隼人持節大将軍《せいはやとじせつだいしょうぐん》などを経た神亀五（七二八）年頃、旅人は大宰帥《そち》として赴任する。六十歳を過ぎてからの二度目の九州下向は、藤原四子による左遷とも考えられ、翌七二九年、時の左大臣長屋王は、「密かに左道を学びて国家を傾けんと欲す」という密告をうけて自尽する。その事件を遠く大宰府で聞き及んだ旅人には、大伴家の総領として思うところがあったに違いない。赴任後まもなく妻を亡くしていた哀しみも、この時の旅人にはあった。

愛《うつく》しき人のまきてし敷栲《しきたへ》の我が手枕《たまくら》をまく人あらめや
（巻三・四三八）

帰るべく時はなりけり都にて誰《た》が手本《たもと》をか我が枕《まくら》かむ
（巻三・四三九）

都にある荒れたる家にひとり寝《ね》ば旅にまさりて苦しか

るべし　　（巻三・四四〇）

愛しいあの人が枕にした私の腕を、ふたたび枕にする人はいるだろうか（四三八）。帰るべき時になったことだ。しかし、一体誰の腕を私は枕としよう（四三九）。都の荒れ果てた家でひとり寝るのは、旅以上に苦しいものだ（四四〇）。

本来なら妻と二人共寝《ともね》をするはずなのに、その妻がいない私は一人寝をして寂しいと旅人はうたう。万葉人の「ひとり」には必ず対幻想があって、二人でいるはずのうちの片割れという不完全な状態をさしている。その「ひとり」いることの哀しみは、都に帰った後も癒えることはなかった。

人もなき空《むな》しき家は草枕旅にまさりて苦しくありけり
（巻三・四五一）

妹としてふたり作りし我が山斎《しま》は木高《こだか》く茂《しげ》くなりにけるかも
（巻三・四五二）

我妹子《わぎもこ》が植ゑし梅の木見るごとに心咽《む》せつつ涙し流る
（巻三・四五三）

妻のいないからっぽの家は、草枕の旅にまさって苦しいよ（四五一）。妻とふたりで作った庭は、木々も高くなって生い茂っていることだ（四五二）。妻が植えた梅の木を見るたびに、心が咽《むせ》かえるほど涙が流れる（四五三）。

妻のいない日々は、旅人には旅路にいる以上につらく、妻と暮らした奈良の家には二人で作った庭があった。そこには妻が植えた梅の木があり、その梅に旅人は妻を思い出している。

とすれば、「梅花の歌」にうたわれた「梅」は、旅人にとっては妻を想う形見でもあり、旅人の親しい友人でもあった憶良が「ひとり見つつや春日暮さむ」とうたうとしたら、この「ひとり」の背後には、旅人の亡くなった妻がいるはずだ。たったひとりで梅を愛でるのですか、みなで楽しみましょうと人々を誘うようにみせかけて、憶良は「ひとり」いる旅人の心情を思いやっている。今ここに現実として咲いているのは、大宰府長官の庭の梅であり、客人をもてなすために植えられた梅かもしれない。しかしその梅は、あの懐かしい奈良の家の庭先に咲く梅でもあると、憶良は言いたかったのではないか。その妻への思いは、今日一日を楽しく飲み過ごそうとうたい継がれた宴の最後に、再びうたわれることになる。

梅の花折りかざしつつ諸人《もろひと》の遊ぶを見れば都しぞ思《も》ふ
土師氏御道《はにしのみみち》（巻五・八四三）

妹《いも》が家《へ》に雪かも降ると見るまでにここだも乱《まが》ふ梅の花かも
小野氏国堅《くにかた》（巻五・八四四）

梅の花を折ってかざしにして人々が遊んでいるのを見ると、都が思われる（八四三）。妻の家に雪が降ると見紛うほどに、ここでも梅の花が乱れ散っているよ（八四四）。

ここにいう「妹」は、表面的には小野国堅の妻の意であって、旅人の妻をさしているわけではない。しかし、憶良が「ひとり」といったことに対してこの「妹」が持ちだされているとしたら、「ひとり」いることの寂しさを思ったのは旅人のみならず、その日その宴に集った官人たちすべてであったことになる。「妹」は官人それぞれの、都に残してきた妻をさしているのであり、それは前の歌の末句「都しぞ思ふ」から直接連想されたものであった。

やすみしし我が大君の食《を》す国は大和《やまと》もここも同《おな》じとぞ思ふ
（巻六・九五六）

やすみしし我が大君の敷きませる国の中《うち》には都し思ほゆ
（巻三・三二九）

我が大君が支配なさる国は、大和もここも同じだと思う（九五六）。大君の統治が及ぶ国の中で、やはり都が恋しく思われることだ（三二九）。

この二首はともに大宰府において詠まれた歌で、最初の九五六は旅人の作、次の三二九は防人司佑《さきもりのつかさのすけ》であった大伴四綱《よつな》が旅人に向けて詠んだ歌である。天皇が支配なさる国であればどこでも同じだと言いながら、やはり都が恋しいと嘆いている。それが当時の大宰府官人たちの思いであり、そのような望郷の念がこの「梅花の宴」の通奏低音であった。

中国の詩宴を模した「梅花の歌」は、確かに、旅人の文芸意識に根差した、新しい宴や歌の試みであった。しかし、それのすべてが中国風であったわけではない。「園」の風流を「庭」という「形見」に置き換えていたように、中国文化をやまと風に翻訳した文化が、大宰府には花開いていたのである。

眸のひらめき

お市《いち》

「わたくしは、ここに残ります。」

一五八三年六月十四日、市《いち》は夫の柴田勝家と三人の娘と北ノ庄城天守閣にいた。欄干に手をもたせると眼下に秀吉の軍勢が蝟集しているのが一望された。下座に座した秀吉の使者が主君の申し出を告げる。市と三人の娘の命は救ってやりたい由である。市は静かに目を閉じた。するとあの懐かしいお方の、悲しみを内に秘めた物静かな面立ちが現れた。「今日で三度目だ。」市は心のなかで指を折った。

最初にあのお方を思い出したのは市が北近江の浅井長政のもとへ嫁ぐ道中、一行は西美濃に差し掛かっていた。小牧城を出立するとき兄・信長は「国主の正室など飾りだ」といった。あのお方もまた兄の正室として同じ台詞を投げつけられたことがあっただろうか。彼女は美濃国主・斎藤道三の娘であった。兄はさして彼女を愛しているようには見えなかったけれど、道三が隠居し義龍に離反されたときも離縁せず丁重に遇してきた。その意味が市にはわかりかねた。だがいまはよくわかる——兄が美濃を併呑しても、彼女を正室として囲うかぎり、美濃衆は逆賊にはならない。信長は美濃の旧主の婿になるからだ。そして今度は市が兄の併合した美濃を行く。美濃衆が織田に恭順しているかを確かめる道具として。さらしものだ、私は。その美濃を越えてこれから同盟の人質として浅井に嫁ぐ。

二度目にあのお方を思い出したのは市が浅井を去るときであった。このとき長政と市と三人の娘の居城を囲んでいたのは信長の軍勢であった。盟約は破棄され、姉川の戦いから続く戦も最終局面を迎えようとしていた。目の前には織田方の使番がいた。秀吉であった。「お市の方と、お三方の姫様のあつかいについては、信長様より御直にお言葉を頂戴いたしており申し候。『明朝、本丸攻めの前に小谷城を出れば、助命し、手厚く遇する』と。いずれも織田の血を引くおかた、今後信長様の政略の『手駒』として使え申し候故。」

市は目を開いた。その麗しい見目は、濃姫の到達した物静かな諦めの境地とは異なる何かに火照っていた。万策尽きた者の達観ともちがった。それは他人によって定められる行末を生きることを拒絶する者の輝きであった。

「わたくしは、ここに残ります。」市はもう一歩も動かなかった。　（T・I）

〈連載第二回〉

忘れ得ぬ人々　物語に魅せられて

立野正裕

まえがき

二〇一八年十二月二十日に亡くなられた佐々木孝さんに宛てて、同じ年の二月某日にわたしが送ったメールがある。けっして短い文ではなかったが、全文を佐々木さんはご自分のブログに掲載してくださった。久しぶりに読み返してみたところ、私信のつもりで書いたその内容が、それなりに今回の標題の趣旨にかなっているように思われた。物語に魅せられた自分の思い出でもある。そこでほんの少し字句に手を加え、内容はほぼそのまま本誌今号に再掲させていただくことにした次第である。

＊

佐々木先生、

十日前に掲げられたブログを一読させていただき、共感を禁じ得ずにおります。ご意見にはまったく賛成のほかないと思いました。

先生がおっしゃるのは、学力をボトムアップするために子供たちの夏休みを短縮するのは発想が逆であって、そもそも小中学時分の学力試験の結果など気にする必要は全然ないこと、それよりも世の中の出来事について自分なりに考え、本を読んで人間の生き方・死に方に思いをめぐらせるほうがはるかに重要であること、だがそれよりさらにいっそう大切なことは、自分の日常生活に起こる事柄全般を自分の頭で考えることである、というご主旨ですね。

改めてきょうまた読み返したところです。十日前に読んだときと共感も意見ももちろん同じです。同時にいっそう愉快な気持ちになりました。なぜなら小学校以来、大学（または大学院）までの自分の「学力」なるものの足取りを、わたしはゆくりなくもある懐かしさとともに思い浮かべないわけにはいかなかったからです。

ここからちと回顧的もしくは懐古的な叙述をまじえつつ、先生のご見解への賛同の意をわたしなりに述べさせていただきたいと思います。

岩手の山奥の砂子畑というすごい田舎でわたしは小学校時代の大半を過ごしました。戦後すぐの生まれですからいわゆるベビーブーマー世代ですが、わたしの田舎は釜石市に属しながら山奥に位置するため、極端に子供が少なく、同学年のクラスにはたった十八名しかおりませんでした。一年上級のクラスも同数でした。

少ないのは生徒ばかりでなく、教師も教室も数が足りませんでした。そこで同じ一つの教室で、一人の担任の先生によって二つの学年の生徒が学習するのですが、学年がちがいますから教科書も同じではありません。つまり同じ時間に同じ科目というわけにはいかず、担任がいっぽうの学年をおしえているあいだは他方の学年はおとなしく自習をさせられるのです。いわば分校なみだったわけです。町の学校の生徒との「学力」の差が容易に推測されましょう。

いまでもおぼえていますが、上級学年が六年生でわれわれが五年生のときのある日のことです。先生はわれわれに算数を自習させながら、六年生に国語をおしえていました。その日、六年生が広げていたページには河口慧海の文章が載っていました。有名な『チベット旅行記』の一節です。

ご存じのように慧海は十九世紀末、仏教を習いたくて日本からチベットに決死の覚悟で単独潜入した禅僧です。当時チベットは鎖国していて異民族が入ることは許されず、日本人と分かれば死刑にされるとさえ言われていました。それをあえてチベット人になりすまして潜入したわけです。国境付近の村でネパール語をひそかに習得しました。

国語の教科書には、いよいよ慧海が川をわたってチベット側に入って行くくだりが収録されていました。六年生が代わる代わるそこを朗読させられるのです。その声が同じ教室の半分の席で自習している下級生の耳にも聞こえないはずはありませんが、算数の問題に集中しなくてはなりませんから、朗読の内容に注意を払っている余裕はないのでした。しかし一人だけ、自習するふりをしながら、上級生の声に聞き耳を立てている生徒がいました。

朗読される内容があまりにも面白いので、その生徒はついわれを忘れて顔を上げてしまい、そのまま熱心に聴き入りました。

川をわたるときは浅瀬を選んだはずだったが、それでも腰のあたりまで没する。しかも流れは速い。しかし耐えがたいのは水がおそろしく冷たいこと。ヒマラヤの雪解け水ですから当たり前です。あわてて慧海は岸に引き返してしまう。しかしここをわたらないわけにはいかない。我慢して押しわたるしかない。ためらったあげく腹を決めて足を入れる。たちまち感覚が麻痺してくる。川床に足がついているのかどうかも分からなくなる。ほうほうのていで向こう岸にからだを投げ出したときには、冷えきった五体は死体のようにガチガチに硬直し、硬直したまま痙攣が止まらなかった、うんぬん。

ざっとそのような叙述だったと思いますが、それを上級生がただ棒読みするのです。けっして上手とは申されなかったでしょうが、聞いていて想像力を掻き立てられました。

禅僧の苦難ぶりがありありと目に浮かぶようでした。聞き耳を立てている生徒に気がつかれた担任の先生が大声で一喝されました。「こら、立野！　なにを見ているか。ちゃんと自習しろ！」

あわてて下を向きましたが、その日はいつまでも、国禁を侵してチベットへわたった一人の禅僧の命懸けの冒険行に心を奪われ放しでありました。

話をはしょります。六年進級時にわたしは母親の転勤に伴い、遠野市に移転することになりました。小学校が市内にあり、一学年あたりのクラス数も多く、五組ないし六組ぐらいあったでしょう。それまでの分教場のようなちっぽけな学校で学んでいた田舎の子は、ご多分に漏れずいじめられ、学力的にもクラスの水準についてゆくのが困難でした。

生来利発な子供ならいざ知らず、また腕力に自信のある生徒ならいざ知らず、予習復習などいちどもやったことがないやせっぽちの内気な山猿に、町の学校の環境がなじめず、クラスに伍してゆくには転校先の教育水準が高すぎました。当然ですがわたしはたちまち落ちこぼれてしまいました。

しかし、各教科のなかで一冊の教科書だけ、わたしの目を輝かせたのがありました。国語です。それはあの分校のような教室で、六年生が使っていたものと同じでありました。

思いがけず、わたしは河口慧海のチベット潜入の場面にふたたび遭遇し、胸を躍らせました。教科書の抜粋だけではもの足りず、町の図書館に足を運んで『チベット旅行記』を探し出し、借りて来て、無我夢中で読みふけりました。

わたしは探検記や冒険小説や探検家の自伝や手記のたぐいに魅了されることになり、片端から読みあさりました。コロンブス、マゼラン、クック、アムンゼン、ナンセン、白瀬中尉、スコット、リヴィングストンら極地ないし密林の探検家についてのもの、ナポレオン、アレクサンドロス、シーザー、フリードリッヒ大王、信長、秀吉、家康など英雄や武将についてのもの、ナイチンゲール、野口英世、北里柴三郎、パストゥール、ジンナー、フランクリン、アインシュタイン、エジソンといった偉人に関するもの、それからフィクションでは『宝島』『失われた世界』『地底旅行』『八十日間世界一周』『十五少年漂流記』『ロビンソン・クルーソー』『ガリバー旅行記』『西遊記』『トム・ソーヤーの冒険』『ハックルベリー・フィンの冒険』などなど、思い出せば枚挙に暇がありません。なにしろ傍がびっくりするほどどっさりと読むことになりました。

＊

きわめつけは『罪と罰』との出会いです。

小学六年のときの時間割に、週にいちど「図書室の時間」というのがありました。校内の図書室にクラス単位で行かされて、一時限が終わるまでのあいだ各自自由に本を選び出して読み、ノートブックにその日なにを読んだかを記して担任の先生に提出することになっていました。クラスのみなが週ごとにちがう本を記入していたなかに一人だけ、ある日を境に以後毎週同じ一冊を記して提出していた生徒がいました。それがわたしであります。選んだのは『罪と罰』でした。

来る週も来る週も『罪と罰』『罪と罰』『罪と罰』の一辺倒です。まるで一週間おきにやって来る紙芝居のようで、毎週その時間だけが落ちこぼれの生徒には楽しみでした。いまから考えればいささか奇妙でないこともありません。というのは、市の図書館に行けば同じ本を借り出すことは造作なかったと思われるからです。そうすればなにも一週間も待たなくとも、あっという間に読んでしまうことだってできたでありましょう。それはとにかく、毎週いちどめぐってくる図書室の時間が待ち遠しかったことだけは確かです。

夏休み直前までそれが続きましたが、忘れられないのはあしたから休業という日のことです。担任の先生がわたしを教卓に呼びました。そしてノートを示して、これは読み終わったのかと訊きました。けれども一時限（五十分）で読めるページ数は限られていますから、まだ半分ちかくが残ったままです。そう答えますと、先生は図書室からその本をわたしに持って来させ、特別に貸し出しを許可するから自宅で最後までゆっくり読むといいと言ってくださったのです。

小学校の図書室に原作をそのまま翻訳した版が所蔵されていたわけではありません。世界少年少女文学全集の一冊として簡略版があっただけです。ほとんどどれもが物語本位に書き改められたいわゆる翻案ものです。わたしもそれを読んでいたのです。

とはいえ『罪と罰』を、思想的な観点は二の次にして、まさに物語本位に読むことに徹して、作家としての自分がドストエフスキーから多大な恩恵をこうむったことを公言する江戸川乱歩のような作家もいるわけです。まして少年のわたしに、ロシアにおけるスラブ正教分離派の複雑な事情など分かるはずもないことでした。

もっぱら物語の迫力がわたしの胸をわしづかみにしたのです。物語によってぐいぐいと自分の胸が締め上げられたのです。物語が持つ途方もない魅惑は、ひとえに殺人を犯す主人公の犯罪とその後のかれの日常に襲いかかる悪夢のようなおそろしさにありました。それが、小学校の生徒にとっては思想からではなく、小説のプロットつまり筋の運びから来た魅力にほかならなかったのです。

原作の完全な翻訳をわたしが読んだのは高校に入ってからでした。中央公論社の世界の文学シリーズの第一回配本が『罪と罰』でした。十二月の大雪の日にそれが書店に到着したと報せがあって、雪のなか自転車を町まで走らせたことを覚えています。帰宅するやいなやさっそく読み始めましたが、このときは半徹夜状態で三日か四日で読み上げたと思います。授業は居眠りか、さもなくばまったく上の空だったにちがいありません。

わたしが文学に魅入られることになったきっかけと経緯の一端は、以上のようなものでした。慧海の物語に聴き入っていたわたしを一喝された先生も、『罪と罰』を最後まで読むようにと貸し出してくださった先生も、ともに忘れることのできぬ人々です。

いま思うと、お二方ともご自身が読書家で話術にたいへん優れておられた。たとえば慧海の先生などはある日の放課後、山中峯太郎の『敵中横断三百里』の話をしてくださったことがありました。物語を紹介しながら、先生は同時にさまざまな色のチョークを使って黒板にロシア帝国軍と日本帝国軍の敵地の見取り図を描いてゆくのです。日本の斥候隊がどのようなルートをたどって敵地へ潜入したか、どの地点で敵に発見され追撃を受けたか、どのようにしてからくも脱出できたか、それを物語にしたがっていちいち黒板上の略図に書き足してゆくわけです。敵味方追いつ追われつのスリリングな物語に、生徒たちはまるで映画でも見ているように釘付けになりました。

また、罪と罰の先生について申せば、ある晩母親とわたしが間借りしている侘び住まいの住居を訪ねてくださったことがあります。算数の苦手なわたしの補習を手伝ってくださった。お帰りになるとき本を一冊置いて行かれた。芥川龍之介の短編集でした。「杜子春」を繰り返し読んだことをおぼえています。

そして小学校時代から勉強がきらいで落ちこぼれ生徒だったわたしが、中学・高校・大学を通じて、他から強要されぬ情熱を読書にだけはいだくことができたのは、ひとえに物語の力のおかげであると言わねばなりますまい。

学力テストなる制度の観点からは、これはおよそ価値あることとも有意義なこととも みなされないでありましょう。しかし、大学の教壇に立った当初から、退職するまでの四十年あまりの歳月、ただのいちどもわたしは講義のための準備をしたことがないのです。この横着なダメ教師がなぜ長い年月にわたって大学教師として曲がりなりにも通用したかと申しますと、過去に読んだ本の記憶をたどりながら話を勝手に組み立てるという離れ業？　に終始して、格別苦情を持ち込まれたこともなかったからにすぎません。すべては、物語が三度のメシより好きだったというその個人的偏向のしからしめるところだったとしか考えられないわけです。

もしわたしがもう少し学力的に優れていて、けっして落ちこぼれたりせず、みなに十分伍してゆくことのできる生徒だったとしたら、中学高校時代も学校の図書室と市立図書館に一人いりびたって、好きな本を読むことにわれを忘れることもなかったでありましょう。

そしてあげくは大学院まで行って、好きな本を読むことが職業上最大限許される大学教員になろうと思うこともまずなかったでありましょう。留学経験もなく、学位もなく、ただ少しばかりの読書量が寛容な恩師たちを面白がらせたばかりに、その後現在まで本と付き合う生活を送ってこられたのです。

長くなりました。今回の先生のブログを拝見して、なにか書き出せばかなり長くなるような気がしていましたが案の定です。メールとしてお送りしますが、扱いはどうぞ先生のご随意になさってください。

〈エッセイ〉

橋本治はおれの何なのさ

野田光太郎

橋本治が死んだ。おれは橋本治のよい読者ではなかった。何といっても、かれが主たる仕事と定めた小説の熱心な読者ではなかった。しかしかれの評論ともエッセイとも言いかねる独特の「あの」文章からは多大な影響を受けた。

おれが初めて橋本の本を読んだのは公共施設の図書コーナーだった。『桃尻語訳枕草子』だったと思う。学校の授業ではまったく理解できなかった古典文学を、（一九七〇年代末当時の）女子大生のしゃべり言葉に「翻訳」した、それも古語の素養を活かして逐語的に置き換えたという「忠実な」作業ぶりに圧倒されたし、清少納言が「ギャル語」で宮廷生活のこもごもを語りかけてくるような気さえした。章ごとに「清少納言」になり切った作者自身による解説が入り、清少納言と紫式部とのライバル関係にそれぞれが仕える女主人の宮廷内での勢力関係が絡むことなど、ゴシップ的かつ政治的な時代背景まで語りつくしていた。それを「訳者」として解説する橋本自身の文章もまた、独特の跳ねるような「おしゃべり」の文体と、既存の常識を向こうに回すかのような激しい熱っぽさ、そこにたしかな説得力をあたえている切れ味鋭い論理性と、古典に記されたなまなましい人間模様を読み解く博覧強記ぶりで、おれの頭の中を席巻した。

次に手にしたのは「パンセ　橋本治雑文集成」シリーズだったはずだ。分厚い装丁で六、七巻も連なり、歴史的に有名な哲学書のタイトルを不敵にも冠した分厚く白い本は、書棚で異彩を放っていた。テーマ別に組まれたアンソロジーなので、興味のあるものから手をつけたはずだが、結局はたちまち全巻読みきってしまった。今、その時の衝撃を思い出そうとして、かれの最初の評論集である『秘本世界生玉子』を読みかじってみたが、まったく古びていない。おれにはこんな文章は書けないな、とあらためて思った。ここに書いてあることは理解できるが、こんなにも単刀直入に書くことはできない。文体があまりに「速い」のだ。それが記述に侵しがたいような強度を与えている。

そのころ、文体についてはすでに筒井康隆、平岡正明の洗礼を受けてはいた。筒井の小説の解説者として知った平岡正明からは、「おれ」という主語が持つ暴力的なまでの能動性を学んだし、主語を「おれ」「私」「僕」と使い分けることで文体が変わること、すなわち個人が世界に切り込む角度が変わるという教示を受けた。文体の強度が思想の強度であり、文体の速度が思想の純度である、という見解はかれの文章から知ったことだ。しかし平岡の文体実験はじつのところ早々と「おれ」という形に落ち着き、「私」「僕」の可能性はくみ尽くされることがなかった。橋本治は「僕」というおよそ冴えない主語に猛烈な攻撃性と論理性を盛り込み、舌っ足らずで甘ったれたような若者言葉を使って、それがあたかも異様に早熟な子供の天才性の発現でもあるかのように、既成の価値観を挑発した。

このように橋本治が突出して異様な文体で現れたのは、当然、かれという人間と世間の常識なるものが激しく対立していたからだが、『秘本世界生玉子』を読み返してみてその原点を思い返すことができた。橋本治の文章は、読むと自分が「今まで誰も気づいていなかった重要なことがわかっちゃった!」みたいな気分になるのだが、本を閉じてしまうと何が書いてあったのかすぐに忘れてしまう。それだけかれの文章がややこしく込み入っていて、また論理の跳躍や断定を重ねながら、その隙間をさまざまな例示で埋めていくスタイルのため、まるで音楽を聴いた後か、夢でも見た後かのように、その細部を思い出すのが難しく、要約することができない。そもそも既成の思想や学問の体系に則った用語や形式を用いず、知識を我流に取り込んで、その場その場で形式を発明しながら紡がれるような文章であって、そこに唐突に「僕」という口語的な表現が入り込んだり、またそれが「私」という公的で冷たい客観的な語り口に戻ったりと、破格の展開をするので、読んでいる方は論理のジェットコースターの渦に巻き込まれたように、あれよあれよと引っ張りまわされてしまい、語りそのものと自分との位置を見失ってしまう。そこにかれが一部の読者から「教祖」のようにあがめられる原因があったのだろうが、そもそもかれは「自分の頭で考えろ」ということをひたすら言い続けてきたのだから、そういう現象自体が克服すべき嫌な状況と感じられたに違いない。

話を『秘本世界生玉子』に戻すと、これは主に当時のにっかつロマンポルノをはじめとした映画評でできていて、他に漫画やロック・ミュージシャンについての短文を加えてある。橋本治の最初の批評集ということで、後の融通無碍のスタイルと比べてまだ「固い」ところもあり、その分それなりに読みやすくもある。これを三十一才とかで出したというのは驚くが、自ら「若き知性」と称する勢いがあってこそ書けたものでもあろう。後年、晩年に至るまでのある時期から、橋本治はできるかぎり平明で「普通の」文章を書こうと心がけていたようであり、この頃の才気ばしった書き方は私にある懐かしさを感じさせる。

テーマはずばり、セクシュアリティと愛、というか「愛」という言葉で通常呼び表されている人と人との関係性である。「男」という性が担ってきた役割、あるいは特権的な地位が問い返されており、「女」という形で疎外され押し込められてきた存在のありかたが解放されようとしている、まさにその時代に、フェミニズムの言葉とはおよそ異なる「場所」からそのことを激しく撃った、それがこの本の生まれた必然ということだ。にっかつロマンポルノは商業的なポルノという体裁をとりながら、その中に創造的な映画の発表の場を見出した意欲的な新人監督たちによって、人間心理の深部をえぐるような野心作を世に送り出していた、ようだ。それらの映画を何一つ見たことのない私にはその映画評としての正確さはわからないが、さしあたって映画自体はどうでもいい。問題は橋本治だ。

かれにとって男とはこの社会を築きあげてきた近代的理性そのものであり、その近代に至るまでの人類の公的な思想体系である。それが普遍性を誇ってきた時代は崩壊しつつある。女たちは子供とともに「物を言う動物」のように見なされてきたし、女たち自身も自らの存在をあいまいにしか把握できないでいた。そこでは愛とは対等な「人間」同士の関係性ではありえず、男という「主人」が「もの」として客体化された女に投げ与える自己満足の変形でしかなく、したがってセクシュアリティも一方通行の眼差しの暴力性に閉じ込められ、現実の人間を疎外した孤独な幻想の中ですれ違いを演じ続ける他はなかった。このような歴然たる「世の中の常識」に対し、学生運動の体験を通じて「ナンセンス！」という言葉をようやく手にした女たちは、自分たちに外部から押し付けられた「愛に生きる者、性的な存在」という属性と向き合うことで、それらの押しつけられた愛や性がいかに自分たちの実態からかけ離れた虚構かということを発見し、そのような虚構を必要とする社会の歪みと、そういった社会を作り上げてきた男たちの矛盾と弱さを知った。知って、そのことに怒りの声を上げたのがフェミニストたちなのだが、男である橋本治は当然「女という立場から男の欺まんを撃つ」という姿勢に立たない。何しろかれはかつて「男の子」だったのだから。

一人前の「男」なる成長モデルが、もはや目指すべき理想の人間の姿ではありえないとわかってしまった以上、それを構成員とする現在の社会も、すでに私たちが支えるべきものではなくなってしまっている。そのことを橋本は「廃墟」と呼んだ。全共闘世代のさなかで運動の中に身を置くことのなかったかれは、しかし「止めてくれるなおっかさん、背中のイチョウが泣いている、男東大どこへ行く」という駒場祭のポスターは作った。この「男」は当然、男の子の意であったろう。「最も美しい〝俺〟ＰＡＮＴＡＸ´Ｓ ＷＯＲＬＤ 論」と題された一文は、全共闘世代の中で最も過激なロック・ミュージシャンだった頭脳警察のボーカル、パンタへの長いファンレターというか、「その後の男の子たち」への連帯のあいさつみたいなもんだろう。

橋本もまた既成の「男」になることを拒否し、それゆえに社会の外部に飛び出すことになったが、それはかれが男を愛する男であったからでもある。橋本の死後に文芸誌に出た大学時代の友人による追悼文でも、若かりし頃の二人の友情と、橋本がかれに抱いていただろう恋心の明白なずれが、韜晦交じりの甘酸っぱい筆致で回想されていたが、現在のような「性的マイノリティの権利」などという概念が何もなかった当時において、橋本が抱いた欠落感は私には想像しがたいほど絶望的に重かったに違いない。そしてかれはマイノリティというような「日陰」の領域に身を置くのではなく、かれのような存在を排除して成り立っている現代社会の愛と性に関する虚妄を、徹底的に暴くことに挑んだ。それこそがあの熱情的な語り口と透徹した理性の原動力だったんだろう。「おれのような存在を『無いこと』にした『普遍的な人間』なんてもん、おれは認めねえぞ」ってこと。

七〇年代に「男の子」たちの反抗が挫折に終った後、橋本は歌舞伎や古典を通じた前近代という回路から、倨傲する「現在」を構成する近代という制度を相対化し、その解体を論じた。いや、その独自の痛烈な言い回しによって変革をアジテートしてきた。そうでなければ『江戸にフランス革命を！』などというタイトルの大著を出すはずがない。この本はそれこそ当時の私には手にあまるシロモノであって、かろうじて読み終えたことの達成感と、「橋本治ってすげー」というバカみたいな感想以外は何も頭に入っていないので、近いうちに読み返してみたいとは思っている。なにしろかれは、とかく社会への憎悪ばかり募らせていた当時の自分に、「あなたは幸せになるべきでありそれは責務である。幸せとは他人との愛＝まっとうな人間関係だ。それを実現するために、古くて無用になった価値観に立ち向かえ」ということを教えてくれた、おれの恩人なのだから。

『僕たちは希望という名の列車に乗った』

原題は『静かな教室』。実話を基にした映画で、舞台は一九五六年の東ドイツだ。一九四九年にドイツ連邦共和国（西ドイツ）とドイツ民主共和国（東ドイツ）が成立しており、ベルリンの壁がつくられるのが一九六一年。一九五六年には、東ドイツの人がベルリン行きの列車で西ドイツに行くことが可能であった。

物語は東ドイツの高校生、クルトとテオが西側のベルリンに行き、映画館に忍び込むことからすべてが始まる。そこでハンガリー動乱のことを知った二人。クルトは学校で犠牲者に対する二分間の黙とうを提案し、多数決の結果、賛成多数となった。これが大きな問題になっていく。黙とうは反革命的であると警戒する当局が首謀者探しに乗り出すのだ。生徒らは一様に「首謀者はいない。自然とそうなった」と説明するが、当局はそんな言い分を信じない。個別の尋問で生徒らを追い込んでいく。彼らは大学に進むための重要な卒業試験を控えていた。「お前は労働者階級の一家から初めて大学に行く」と父の期待を背負う生徒もいた。

やがてクルトが提案者だと当局は知る。しかしクルトは市議会議員の息子であった。見逃す代わりに首謀者としてほかの生徒の名をクラスで証言するように迫られる。この理不尽に対してクルトは、西ドイツで卒業試験を受けることを決断し、ただ一人、西ベルリンまで逃げることを覚悟する。

クルトが去った教室で当局がテオに首謀者を問う。しかしテオはクルトの名を言わず、その場で退学を告げられる。するとほかの生徒たちが次々に、自分が提案したのだと名乗りを上げていく。それは、これまで多数決の陰に隠れてきたのとは異なる姿だった。皆で決めたことは決して自然と決まるのではないし、自然と（あるいは空気によって）決まることがあってはならない。個々の責任ある選択と決断があってこそだ。当局は一人の首謀者を欲したが、何人もの生徒が「自分は首謀者だ」と言明するに至ったのだ。このとき発露された主体的な個の意識こそ、当局が忌み嫌うものである。

彼らはあの黙とうの意味をあとになって気づいたといえる。教室が二分間静かになったときに本当は何が起きていたのかを映画は考えさせるのだ。だから本作は東＝悪、西＝善を描く話ではない。市民が主体となる民主主義について語る青春映画である。

（山本恵美子）

〈紀　行〉

私の見たスペイン

――『誰がために鐘は鳴る』からの出発

杉田絵理

旅のきっかけ――卒業論文

二〇一二年初春、私は卒業論文を提出した。一昨年実現することができたスペインへの旅に際し、久しぶりにそれを読んでみようと思った。論文の中心に据えたのはヘミングウェイ作『誰がために鐘は鳴る』だった。第一次大戦時のイタリアに題材をとった『武器よさらば』、大戦後のロスト・ジェネレーションを描いた『日はまた昇る』、老漁師の海上でのたたかいを描いた『老人と海』など、ヘミングウェイの長編小説はいくつかある。短編を含めればその数はさらに増えるわけだが、私が『誰がために鐘は鳴る』を取り上げたのは、作品の背景となっているスペイン内戦に興味関心を引かれたからだ。

スペイン内戦において、人々は共和的で階級差のない社会を目指す人民戦線側と、フランコを中心とする右派の反乱軍とに分かれて争った。イギリスやフランスを中心とした西欧民主主義諸国は不干渉政策をとり、共和国スペインを見殺しにした。ファシスト側にはドイツ、イタリアが公然と軍事力を提供していた一方で、ソ連が共和国支援を声明し、コミンテルンの人民戦線の方針によって、国際義勇軍を組織した。ヘミングウェイは、義勇兵として戦地に赴いたうちの一人である。初期こそ共和国側が優勢だったが、共産主義者やアナーキストなど、多様なイデオロギーをもった人々が一枚岩になることはなく、早々に分裂を起こしていた。一九三九年にフランコの勝利宣言によって内戦が終結すると、成功体験を得たナチス・ドイツはポーランドに侵攻し、これが第二次大戦へと急速に拡がっていく。

イギリスから人民戦線側に加わったジョージ・オーウェルは、ルポルタージュ『カタロニア讃歌』の最後に「深く眠っている英国を見ながら恐ろしくなるのは、爆弾が炸裂する音に驚いて寝床から飛び出る前には、眠りから決して目を覚さないだろうという予感の為だ。」と書いた。これこそはスペイン内戦をまさに対岸の火事と見なしていたイギリスの姿だった。また、フランスが一九四〇年以降ナチスの占領下におかれたのは周知の事実だ。結局のところ、英仏が対ファシズム戦争の当事者となることは避けられなかったのだった。

『誰がために鐘は鳴る』の主人公は、アメリカ人でスペイン語講師のロバート・ジョーダン。彼もまたヘミングウェイ同様、義勇兵として共和国側についた。そこで彼は、要所にある橋を爆破する任務のため、現地のゲリラ隊と組んで行動する。そこには、ファシストに両親を殺されたうえ、自身もレイプされて心身ともに傷ついた娘マリアがいた。ジョーダンとマリアの恋愛模様は作品の重要な要素であり、世界を冷めた目で見ているジョーダンの精神的な変化に大きな影響を及ぼすものだが、当時私の頭を占めていたのは、真の人間的勇気とはなにかということに尽きた。それは、戦闘を断固として拒否すること、すなわち人殺しを拒否することだ。

このテーマを考えるうえで私が着目した登場人物は、アンセルモという老人だった。彼の任務は、ジョーダンとコンビを組み橋に爆弾を取り付け、導火線に火をつけること。アンセルモは敵であるファシストを殺したいとは思わない。彼は猟師で、動物は殺しても人を殺すことには抵抗を感じている。ではどうやって敵に立ち向かうのか。アンセルモは、聖職者にも、資本家にも、働くことを教えたいと言う。労働こそが自分が続けてきたことであり、敵にもおなじことをさせれば、きっと心を入れ替えるはずだと素朴に信じている。

アンセルモは作品の終盤にて橋の爆破とともに命を落とす。それはジョーダンの命令に従った結果にほかならない。アンセルモとジョーダンは、命令によって固く結びついていた。にもかかわらず、この時ジョーダンを襲った怒りと、そのあとで彼におとずれた虚無感は、自身が信じているこの戦争の大義をもってしても乗り越えられなかった。タイトルにある「鐘」とは、大戦前夜に鳴り響く警鐘のことである。私たち一人ひとりは、その鐘の音が聞こえているのに知らんふりをするのではなく、自らが鳴らし手にならなければならないと、学部生時代の私は考えたのだった。

しかし今になって、私は素朴な疑問を抱いている。アメリカ人であるジョーダンをこうも惹きつけたスペインとは、いったいどんな国なのだろうか。それはヘミングウェイ自身についても言えることで、スペイン内戦それ自体もさることながら、私が関心を持ったのはそのことだったのではないか。実際にスペインを訪れて、自分の目で見てみたい。その念願をついに果たしたのは論文提出から約六年半後、二〇一八年の初秋であった。

カタルーニャ・モデルニスモの時代

旅先に選んだのはバルセロナとグラナダだ。言語、文化、アイデンティティがスペインの他地域とは異なり、独立の機運が高いカタルーニャ州の州都、バルセロナの空気はどんなものか、感じてみたかった。そして南部、アンダルシア州に属するグラナダは、スペインにおいてイスラム支配が最後まで続いた地域であり、ここにもまた独特の空気があるに違いないと思った。内戦勃発時に故郷グラナダへ戻り暗殺された詩人、ガルシア・ロルカが詠った街を歩いてみたかった。

成田を発ち、浦東《プードン》を中継し、バルセロナへ着陸。機内から外へ一歩踏み出すときはいつも、その国の空気がもっとも新鮮に感じられる瞬間が訪れる。九月のバルセロナの空気は東京のそれと似ているような気がした。旅の前半はカタルーニャ広場付近のホテルを拠点にバルセロナ市内をめぐり、中盤でグラナダに滞在し、ふたたびバルセロナに戻ってから帰国するという計画を立てた。初日は夕方に、サグラダ・ファミリアへ行くためのチケットを取ってある。

バルセロナ市街に着いたのは昼前だったので、ホテルにチェックインできるまでに少し時間があった。大きな荷物をあずかってもらい、ホテルの近くにあった、クアトラ・ガッツへ赴いた。「四匹の猫」を意味する店名は、設立にかかわった四人の画家たちが、モンマルトルにあったキャバレー「ル・シャ・ノワール」をオマージュして付けたものだそうだ。クアトラ・ガッツはカタルーニャ版アール・ヌーヴォーともいわれるモデルニスモ運動の拠点として一八九七年に開店した。常連客はボヘミアン芸術家たちだった。このなかには十八歳のピカソが含まれており、彼の初めての個展もここで開かれている。ピカソはアンダルシア地方の一都市マラガに生まれ、十四歳のとき家族でバルセロナに移住した。十六歳のときにはマドリードの美術学校に優秀な成績で入学したものの、アカデミズムに失望し、すぐにバルセロナへ舞い

㊨カサ・アマトリェール（手前）とカサ・バトリョ（奥）
㊧海を表現したカサ・バトリョの内部

戻った。

クアトラ・ガッツは開業から六年後に閉店したものの、一九八一年に同じ場所でカフェレストランとして営業を再開し、今にいたっている。一歩足を踏み入れたところではただの雰囲気のいいカフェだと思うかもしれないが、この店の背景を知れば、印象的なアーチを取り入れたデザインや、壁に掛かっている絵、写真の一枚一枚が気になって仕方がなくなる。この建物カサ・マルティを設計したのがモデルニスモを代表する建築家のひとり、プッチであることは、私も帰国後しばらくして知った。

プッチの作としてさらに有名なのは、グラシア通りにあるカサ・アマトリェールだ。このチョコレートで財を成したアマトリェール氏の邸宅の一階は誰でも気軽に入ることができるし、カフェやチョコレートショップがあり軽食や買い物を楽しめる。階段状の屋根が特徴的で、植物模様のレリーフで覆われた外壁はとてもかわいらしい。お隣はガウディが手掛けたカサ・バトリョで、海をテーマにしたこの邸宅は、外壁をはじめ煙突の表面などいたるところに破砕した色ガラスが使われている。波のうねりや渦が曲線で表現されており、射し込む光はステンドグラスを通って内部の壁に乱反射し、まさに海の中にいるようだった。単純な直線はまったくと言っていいほど見当たらず、有機的な曲線が多用されている。また、これらと同じ一角には、ガウディの師モンタネールの作であるカサ・リェオ・イ・モレラがあり、一階部分はスペインを代表する皮革ブランド、ロエベが店を構えている。バルコニーや柱など、いたるところに散りばめられたエレガントな花のモチーフは、見るものの目を楽しませてくれる。これら歴史的な建築物や芸術作品が、ただ観光の材料として保護されているだけでなく、人々の生活に溶け込むようにして存在し活用されているところが、私のヨーロッパにたいする憧れや尊敬の源になっている。

ゴシック地区にあるピカソ美術館では、初期作品を中心に、ラス・メニーナスの連作やパロマ（鳩）の連作が展示されていた。ピカソは十四歳からの十年間をバルセロナで過ごしており、美術学校時代にはすでに絵画における伝統的な手法をマスターしていたといわれる。事実、ピカソとキュービズムをじかに結び付けていた私は、彼の初期の作品を見てハッとした。好き勝手に描いた結果があれなら、ピカソは今日のような評価を得ていないだろう。げんに私は、彼の作品を見て「下手くそな絵」と感想を述べた人を何人も知っているが、たとえば「科学と慈愛」を見れば決してそんなことは思わないはずである。写実的な技法を用い、若い母親の死という重たいテーマを扱ったピカソ十五歳の作品だ。誰しも基礎の積み上げがなければ独自の表現を生み出すことはできない。そんな当たり前のことに気付かせてくれるのが、バルセロナのピカソ美術館の魅力だと思う。

また、ベラスケスの名画「ラス・メニーナス」の解釈にまつわる連作は大変興味深い。ピカソはひとつの画題にたいし、多様なアプローチを行った。ラス・メニーナスについても同様に、モノクロの習作もあれば、色を使ったカラフルなものもあり、とても楽しめる。パロマの連作もしかりで、住まいのバルコニーから見える風景の中の鳩や、バルコニーで足を休める鳩など、いろいろなバリエーションがあった。私が訪れたときは、企画展「Picasso's Kitchen」が開催中だった。クアトラ・ガッツのメニューやポスターなども展示されており、これらにはアール・ヌーヴォーの影響が顕著であったのも面白かった。

クアトラ・ガッツで芸術家の先輩たちにパリの魅力を教えられたピカソは、その後パリ行きを決意する。スペイン内戦中でもナチス占領下でも、ずっとパリに身を置いていたピカソ。彼はヘミングウェイのように戦地へ赴くことはなかったが、「ゲルニカ」に代表されるように、芸術によってファシズムに対抗した。

サグラダ・ファミリア

バルセロナに到着した日の夕方、サグラダ・ファミリアへは地下鉄で向かった。エスカレーターで地上へ押し運ばれているそばから建物の壁が見える。目線を上げなければそれと気づかないほど巨大で、意外なほど近くにそびえ立っている。私はドイツのケルン大聖堂を見たときと同じかそれ以上の衝撃を全身にうけながら、サグラダ・ファミリアを見上げた。

バルセロナには、街全体に世界遺産に指定された建物や公園が散りばめられている。それらを作った人物のひとりはアントニオ・ガウディ。サグラダ・ファミリアは一八八二年の着工から百年以上を経てなお建設中であるという、未完の特異さが大きな魅力になっていることは誰もが知るところだ。実際に目の当たりにしてみるとその存在感は超一級だ。これまで目にしてきたどんな教会ともちがい、生き生きと茂る木々や、今にも動き出しそうな動物のモチーフが随所にみとめられる。

着工翌年にサグラダ・ファミリアの専任建築家の役目を引き継がれてから路面電車にはねられて死ぬまでの四三年間、ガウディはまさに生涯をかけてこの聖堂を作った。しかしガウディの死後十年が経ち内戦が勃発すると、サグラダ・ファミリアにも暴徒がおし入り、建築資金や設計図などの大切な資料が保管されていた「ロザリオの間」が焼き払われてしまったという。共和国側が敵視した勢力の一つはカトリック教会だった。このことは『誰がために鐘は鳴る』のなかでも、スペイン内戦におけるユニークなエピソードとしてつぶさに語られている。なにも暴力を振るったのはファシストたちだけではなかった。対する共和国側も過激な暴力を振りかざしたのだ。ファシストに対して、あるいは内部で。ヘミングウェイは決して左派の行いを正当化してはいない。

ロザリオの間を修復したのは、言わずともよく知られたサグラダ・ファミリアの主任彫刻家・外尾悦郎だ。私は旅の前に『ガウディの伝言』を読み、彼がいかにガウディを深く理解しているかを知ることができた。外尾氏は二年をかけてロザリオの間を修復した。ここには重要な彫刻がある。爆弾を小脇にかかえ、躊躇うような表情を浮かべて聖母を見上げる男の像だ。だが大変残念なことに、現状はオーディオガイドの受け渡しをするためだけの空間に使われているということだった。したがって、それを知らずにガイドなしで聖堂内部に入ってしまった私は、ロザリオの間を目にしていない。

人生で一度は見てみたかったサグラダ・ファミリア。押し寄せる私たち観光客のおかげで今や建設資金が潤沢になり、二〇二六年の完成がアナウンスされている。その是非は難しいが、完成した暁には、もう一度訪れたいと思う。その際にはかならずやロザリオの間を見たい。というか、ロザリオの間は聖堂内のひとつの見どころとして、説明も交えつつしっかり見せてもらいたいものだが。

グラナダと自由

グラナダ生まれの詩人、ガルシア・ロルカ。今回の旅でグラナダまで足を延ばそうと思ったいちばんの動機はロルカであった。アルハンブラの城砦アルカサバにあるベラの塔が、滞在していたアパルトメントのバルコニーからいつも見えていた。早朝から夕方まで、塔からこちらを見下ろす人々の影は増えたり減ったりを繰り返しながらも絶えることがない。一月二日に鐘を鳴らすと、その年に恋人とめぐり会えるという言い伝えがベラの塔にあるそうだ。ロルカ晩年の作『タマリット詩集』には、グラナダになぞらえた女性との恋を詠った詩が多数収められている。

ベラの鐘を聞く
それだけのために
僕は君にかぶせた　バーベナの花冠を。

グラナダは　木蔦の間に
溺れる月だった。

ベラの鐘を聞く
それだけのために
僕は引き裂いた　カルタヘナの庭を。

グラナダは　風見たちの間を駈ける
ばら色の　一匹の鹿だった。

ベラの鐘を聞く
それだけのために
僕は君のからだに身を焼いた
誰のものかは知らないで。

（「姿を見せない恋のガセーラ」）

アルハンブラ宮殿の起源はアルカサバができた九世紀とされ、現在に残る建物は十三〜十五世紀のナスル朝時代につくられた。そして長いあいだグラナダの象徴としてここにあり続けている。グラナダは小ぢんまりした街だから、高台に上がるとどこからでもアルハンブラ宮殿が見えた。城のある風景がこの土地の人びとに与える影響は小さくないだろう。辺りを歩けばイスラム文化が色濃く残る街並みに出会った。レストランや土産物店、茶葉やスパイスを売る露店があり、ふとした時にイスラムの香りが鼻先をくすぐることも多い。

アルハンブラ宮殿に正対する丘はグラナダの旧市街、アルバイシン地区。現在グラナダの目抜き通りはグラン・ビア・デ・コロンだが、そこから道を一本入ったところにエルビラ門がある。門が建てられたイスラム時代には、ここが街の入口であり起点であったのだろう。しかし実際に歩いてみると、ロルカの詠ったような市場は見当たらず、反対側のヌエバ広場に向かって進むにつれ賑やかさが増していくのであって、今となってはエルビラ門は通りのまさにどん突きといえた。ひっそりとした、ただだっ広い門周辺に佇んでみると、泣きたくなるようなもの悲しさが胸をよぎった。

高台にあるサン・ニコラス広場からはアルハンブラ宮殿が一望でき、夜、昼と二度上ったが、夕焼けを浴びて赤く染まった姿を見るべきだったかもしれない。夜訪れたときには、歌と踊り、ギターの演奏で人々が盛り上がっていた。いかにもアンダルシアらしい空気の震えを背に感じながら、ライトに照らされ闇に浮かび上がった宮殿を眺めた。

戸嶋靖昌は一九七四年にスペインに渡り、一九七六年にはグラナダに移り住んだ画家である。彼は三十年近い歳月をこの地で過ごしながら、アルハンブラ宮殿を絵の題材に選ばなかったという。しかしアルバイシンに住み、この街並みや、ここで暮らす人たちを描いた。戸嶋も歩いたであろう道の両側には、白壁の住居がみっしりと立ち並んでいる。太陽の照り返しが強烈だ。そのまぶしさに気を取られていると、小石の埋め込まれた階段に足を取られる。家の裏口から若者がのっそり出てきて道端にしゃがみ、左手で猫を撫でた。私がその前を通り過ぎると、独特なにおいが鼻をさす。若者が反対の手に持っているのはマリファナだろう。猫は若者の手をするりと抜けて、軽快な足取りで私を追い越していき、少し先で立ち止まるとこちらを振り返った。それは「百年続く愛のガセーラ」の光景を彷彿とさせた。

通りを上るよ
素敵な四人の若者、

アイ、アイ、アイ、アイ。

通りを下りるよ
素敵な三人の若者、

アイ、アイ、アイ。

腰に手を回してるよ
素敵な二人の若者、

アイ、アイ。

ついに一人の　若者が振り向くよ！
なんて顔つき！　なんて様子！

アイ。

ミルトの咲くあたりには
もう誰もいない。

人は生きて、死ぬ。その繰り返しだ。でも、生きて死ぬことは、当たり前のことではない。ロルカのように才能がありながら、いや、その有無にかかわらず、命を絶たれた人は数多くいる。グラナダは死を感じさせる街だと思った。飛行機から見下ろしたのは、気味悪いほど一面に広がるオリーブ畑。ロルカはどの樹の下で撃たれたのか。それは今となってはわからないことだが、彼の血をグラナダの大地が吸ったことは事実であろう。凄惨きわまる内戦のあと、スペインでは長きに渡りフランコの独裁政権がつづいた。この戦争で共和国スペインは負けた。この国で自由が実現するためには、ロルカの死後四十年近くも待たなければならなかった。

ロルカに先立つこと百年、「国家の安全と正当なる王座の諸権利に対する陰謀」のかどで捕われた若い女性がいた。その女性マリアナ・ピネーダは、一八〇四年に生まれ、一八三一年に処刑されるという非常に短い生涯を送った。絶対王政と自由主義が激しくせめぎ合う時代だった。自由派として逮捕されていた従兄弟の脱獄を手引きしたことが、マリアナの運命を決定づける出来事となった。以来彼女への監視はいっそう厳しくなり、所持していた自由派のスローガン「自由・平等・法」の刺繍が入った旗が、反逆罪の証拠とされた。判事はマリアナに、仲間の姓名を白状することを条件に恩赦の申請を約束したが、彼女は仲間を慮る気持ちから供述を拒んだため、有罪が決まった。当時の処刑場は、エルビラ門の北西に位置するトゥリウンフォ広場にあった。今は市民の憩う公園になっているようだが、そこに集ううちの何人が二百年前の惨劇を知っているだろう。

マリアナの処刑方法はガローテによるものだった。ガローテとはスペインが採用していた処刑法で、垂直な柱に取り付けられた椅子に死刑囚を座らせて首にドリル付きの鉄環をはめ、鉄環に取り付けられたハンドルを回し、ドリルを首に食い込ませて死に至らしめるという残忍な方法である。一九七四年、フランコが死去する一年と数か月前、スペインで最後の死刑が執行された。

バルコニーよりベラの塔を望む

自由が勝ち取られるのに、長い時間と無数の命がかかっていることを、現代を慌ただしく生きる私たちはとかく忘れがちである。もし今の時代に生きることが心地よいと感じているなら、その心地よさは、先人がまさに命がけで勝ち取った自由によるものだということを忘れるべきではない。反対に心地よくないと感じるなら、それを新たに勝ち取るべきときにきているのかもしれない。ロルカは、百年前の自由の殉教者マリアナ・ピネーダを素材に戯曲を書き、軍事政権下のグラナダでマリアナのロマンセを語りなおした。そのロルカは、ファシストの銃弾に倒れた。

むすびに

私が実際にスペインへ足を運び抱いたイメージは、赤だ。スペイン国旗の赤は、血をあらわしている。闘牛士が振るムレータの赤は、牛の興奮を煽るとともに自分をも鼓舞するためのもの。グラナダのアルハンブラ宮殿は夕陽を浴びた姿がもっとも美しいといわれ、アルバイシンの白壁はかつて最後の抵抗をみせるムスリムの血で染まったという。サグラダ・ファミリアでは、午後には赤やオレンジ、黄色のステンドグラスに陽が差して、白い聖堂内部を真っ赤に染め上げていた。

スペインはヨーロッパの端にあって、近代化の波にも乗れず、動揺を続けてきた国だ。しかしそのことは、他のヨーロッパ諸国とはちがった特徴をスペインにもたせ、それこそが魅力となっていると『情熱の哲学』にて佐々木孝氏はいう。「アフリカはピレネーからはじまる」という有名な言葉が示すように、地理的な面でも、長きにわたりイスラムの支配下にあったことで文化の面からも、スペインはたいへん独特なところであるといえる。ヨーロッパの文化を根底に持ちながら、イスラムの名残が色濃いスペインの魅力に早くから気付いていたロルカが『ジプシー歌集』で世間に認められたことは、象徴的だ。彼は、社会的に差別されていたジプシー（ヒターノ）の神話的世界をスペインの伝統的な詩形であるロマンセを用いて詠った。このことが右翼の強い反感を買ったのだ。

ヘミングウェイが闘牛にのめり込み、生涯で九度もパンプローナを訪れたのは、スペインの歴史や文化から迸る生命の激しさに魅了されたからであり、だからこそ「祖国を除くいかなる国よりも深く愛した」スペインが苦しんでいることに我慢ならず、内戦に身を投じる決意をしたはずである。そして自己を投影した主人公ロバート・ジョーダンには、スペインへの、この世界への愛着を吐露させた。ジョーダンがゲリラ隊と合流してから作戦実行まではわずか三日三晩だった。彼はこの三日三晩で生涯を生き抜くのである。そして最後の時、この世界は去るには惜しい、素晴らしい場所だという境地にたどり着く。

『誰がために鐘は鳴る』では、味方であっても敵であっても「個」に焦点を当てた語り方がされているのが強く印象に残る。敵の歩哨の顔をあまり見ないようにする。殺した兵士が持っていた個人的な手紙を読むのをやめる。敵を一個の人間だと思えば思うほど、撃てなくなるからだ。信じる主義や主張が異なっているから、敵だからと自分を奮い立たせ、相手に銃口を向ける。本当はその敵個人が憎いのではないのに、憎悪を向けるべき対象に仕立て上げてしまう。長年同じ村に暮らしてきた隣人を、そうして殺してしまう。

私はスペインを旅して、一見、内戦のあとを感じさせないような、明るさをそなえた国だと思った。フランコももういない。だがこの国の歴史を知れば知るほど、内戦を経験した国の悲哀を感じることができた。もっとスペインにいたかった。私は後ろ髪を引かれる思いで、空港へ向かうバスに乗り込むために早朝のグラシア通りを走っていた。

ノートルダム炎上

ある朝、テレビをつけてその映像に驚いた。ノートルダム大聖堂が燃えていたからである。

しかし次の瞬間、これは本当のことなのかと訝しく思った。そういえば、こういうことは前にもあった。九・一一や三・一一も、不謹慎ながら、ゴジラか何かの映画みたいだと思ってしまった。フェイクニュースが氾濫する現在、さらに現実味は希薄になり、現実か虚構か、その判断が曖昧になった気がする。

大聖堂の火災は、世界のどの国でもトップニュースで報じられ、人々の関心の高さがうかがえた。それはゴシック建築を代表する歴史的な建造物であり、フランスの歴史を目の当たりにしてきた。ジャンヌ・ダルクの復権裁判が開始されたのも、ナポレオンの戴冠式が行われたのもこの大聖堂で、フランスではその前を起点として、各地への距離が示されているらしい。まさに大聖堂こそがフランスの中心であり、今なおパリ大司教座聖堂として使用され、あの日も週末の復活祭に向けて準備をしているところだった。

とはいえ、大聖堂は長い歴史の中で、いつも栄光に輝いていたわけではない。一七八九年に始まったフランス革命では、市民による略奪が繰り返され廃墟と化した。半世紀後、ヴィクトル・ユーゴーの『ノートルダム・ド・パリ』の出版を機に、ようやく復興運動がおこる。洋の東西を問わず、寺院の復興には時間を要するものだ。だから、今回の仏大統領の修復宣言の早さに、政治的な匂いがして違和感を覚えた。カトリックの精神に則れば、寺院再建よりも貧民救済が先だというパリのデモも理解できる。

勤務校の授業で大聖堂の火災を話題にすると、何も知らない学生もいて、その大半はとくに何の感情も抱かないと言った。やはり日本は辺境のままだ。世界に遅れている。

そんな無関心な学生の中で、一人、こんな感想を述べた学生がいた。燃え盛る大聖堂を前にパリ市民が讃美歌を歌っている姿を見て、自分たち日本人には宗教心がないと感じた、と。確かに、金閣寺が炎上しても、私たちはそれを見ながらお題目を唱えたりはしない。私もまた、パリ市民が蝋燭をともして歌う映像に心打たれて、釘付けとなっていた。

崇高な信仰は美しく、市民とは自発的に立ち上がるものだ。そこにフェイクはない。

（堂野前彰子）

〈トルソー〉

愚者への憧れ

ほか二編

竹地冬和

片雲となる

朝の風
とどめがたき漂泊の思い
片雲の風に誘われて
いざ出でむとす
在りし日の
少年のごとく

愚者への憧れ

二〇一〇年五月、ギリシアを旅した。
旅人はテーバイ近郊に差し掛かった。

五月の陽が落ちかかり、
なおもまばゆく輝いていた。
眼前に迫る黒々とした断崖を旅人は仰いだ。
ようやく道筋が見えてきた。

誠実な人間は真実を究明しようとする。
だが、その誠実さが破滅をもたらす。
矩を越える愚を犯したからか。
誠実さに倣った不遜さからか。
旅人はそうは思わない。

やがて、テーバイの町外れに立つ。
歩を止めて旅人は考える。

真実に憑かれた人間というものが存在するのだ。
真実のむごさを知りながら、それでも真実の究明を止めない。
人間の矩を踏み越えることと知ってあえて踏み越える。
人は言おう。畏れを知らない愚者と。
人は嗤おう。分別をわきまえない未熟者と。
そのとおりだ。

だが、
旅人は敬愛して止まない。
その未熟者にして愚者を。
旅人は未熟者の苦しみに憧れる。
真実に身を焼かれる愚者に憧れる。
旅人には分かってきた。
そうだ、その憧れなのだ。
自らの道を決めるのは。

運命

モロー作『オイディプスとスフィンクス』に寄せて

オイディプスよ、抜かるな。選択を誤るな。
しかして畏れよ。
人間、この謎を。
人間、この深淵を。

おまえはいずれかを選ぶだろう。
神託所の前で人間を嘲笑う巫女の邪悪さか、
断崖から跳んで死を遂げるスフィンクスの謎か。

神託は邪悪な生のうちにあり、
謎は残酷な死のうちにある。

心せよ、二つは同じものではない。
いっぽうの答えは邪悪な生。
他方の答えは残酷な死。

決められた運命に立ち向かうのではない。
運命から立ち去るのでもない。
運命を逃れようとすれば、新たな運命が追いかける。
運命に立ち向かえば、運命に滅ぼされる。
それでいながら依然として運命はおまえのものだ。

それゆえ運命を成し遂げよ。
運命の面構えをよく見るのだ。
憶するな。ひるむな。
そして面皮を剥ぎ取れ。
それがおまえの運命だ。

ギュスターヴ・モロー〈旅人オイディプス（または、死の前での平等）〉（1888年頃）

〈エッセイ〉

映画『家へ帰ろう』を観て

――責任を負うということ

堂野前彰子

この映画を観るまで、かつてポーランドから多くのユダヤ人がアルゼンチンに移住していたことを私は知らなかった。一世紀も前の、地球の裏側の話だから、知っている日本人の方が少ないかもしれない。とはいうものの、グローバル時代といいながら、相変わらず私たち日本人は世界を知らない、無知のままだ。

アルゼンチンのパブロ・ソラルス監督『家《うち》へ帰ろう』は、ブエノスアイレスに住む八十八歳の仕立て屋アブラハムが、老人施設に入る前日に、孫たちに囲まれ別れを惜しむところからはじまる。しかし、なぜかアブラハムは浮かぬ顔をしている。住みなれた家を引き払うことになったから？　家の片づけをしていた家政婦に、一着のスーツの処分を尋ねられ、そうだ、最後に仕立てたこのスーツをポーランドの友人に届けよう、と突然アブラハムは思い立つ。そのスーツにどのような経緯があるのか、ポーランドの友人とは誰なのか、観客には一切知らされないままに、である。

翌日老人施設に行くことになっているアブラハムは、その日のうちに国外に脱出したいと思っているから、週末に飛ぶ次のポーランド便まで待つことができない。友人の孫娘に頼み込んで手配してもらったのは、マドリード行きの最終便である。とりあえずマドリードに飛んだなら、そこからポーランドまでは所詮地続きよ、という言葉にそそのかされ、アブラハムはマドリードから列車でポーランドへ向かうことにする。そんな突然思いついたような旅だから、マドリードでも寝過ごして列車に乗り損ねたり、夕食に出かけた間にホテルの部屋に泥棒が入って全財産を盗まれたりと、ことはスムーズに運ばない。数年前勘当した、マドリード在住の末娘に用立ててもらい、ようやく旅を続けることができるのだが、そこまでは主人公が老人であるだけの、単なるロードムービにしか見えない。片足を引きずるようにして歩くのも、八十八歳という年齢からくるものだと思っていた。

ところが、列車がパリに着いてから、その呑気に見えたロードムービーが俄かに違った色彩を帯びはじめる。アブラハムは「ポーランド」と「ノージャーマン」と書いたカードを両手に、フランス語しか解さないパリの駅員と一悶着をおこす。ドイツを経由することなくポーランドに行きたいというアブラハム、それは駅員にとってスペイン語がわからないという以上に不可解なことだった。それを見て思わず声をかけてきた女性になだめられ、アブラハムはしぶしぶドイツ経由でポーランドに向うことにする。が、彼女がドイツ人と知るや否や、アブラハムはまたそっぽを向いてしまう。なぜなら、アブラハムはかつてポーランド中央部のウッチに住んでいたユダヤ人であり、あのホロコーストの生き残りであったからである。「ポーランド」や「ジャーマン」をカードに書いたのも、その言葉を口にしたくないからだった。そういえば冒頭のシーンでも、「ポーランド」という言葉をアブラハムは決して口にしない。一緒に記念写真に写ることを渋って、うまくアブラハムからお小遣いを巻きあげた十二、三歳の孫娘のしたたかさも、それを賞賛するアブラハムとのやりとりも、彼らがユダヤ人であることを示していたのだと、その時になってはじめて気づいた。種明かしされなければわからないほど、アブラハムという名前も、アルゼンチンという国も、仕立て屋という職業も、悲しいくらいユダヤ人であることとは結びつかなかった。

そんなアブラハムが、死を目前にして届けたいと思ったスーツは、幼馴染みピオトレックのために作ったものだった。ピオトレックはアブラハムの家で働いていた夫婦の子供で、命からがら強制収容所から逃げてきたアブラハムを、父親の反対を押し切って介抱した。アブラハムが左足を悪くしたのも、収容所での生活とそれに続く逃亡生活が原因であり、ようやく元気になったアブラハムに、ピオトレックは自分の親が横取りした彼の財産と、戦前にアルゼンチンに移住していた親類の手紙を手渡した。アブラハムはそれを手にしてアルゼンチンに渡り、落ち着いたら必ず手紙を書くと約束したのだった。しかし、その手紙は決して書かれることはなく、以来二人は音信不通となる。

スーツを作る約束がいつなされたか、映画で語られることはなかったけれど、おそらく別れ際に手渡された型紙をもとに、心を籠めてスーツを作りたいとアブラハムが思っていたことは確かだろう。それなのに、アルゼンチンで仕立て屋として財をなしてからも、アブラハムがスーツをピオトレックに送ることはなかった。ポーランド人ピオトレックとユダヤ人アブラハムとの関係は、想像以上に複雑なのかもしれない。ホロコーストにポーランド人が加担したとまでは言わないが、生きるためとはいえ、ピオトレックの父親がアブラハムの父から家や財産、職業まで奪ったことも事実である。「ポーランド」という言葉を口にしなかったのは、ホロコーストの悪夢を忘れたかっただけではあるまい。もしかしたらアブラハムには、「ポーランド」も許せないという思いがあったのではないか。

ドイツからポーランドに向う車中、飛び交うドイツ語に吐き気を覚えて倒れたアブラハムは、搬送されたワルシャワの病院で一命をとりとめる。そしてその病院で彼を世話した看護師の助けを得て、なんとかウッチの家を訪ねることができた。すっかり変わってしまった町の中で、かつてアブラハムが住んでいた一角の路地だけはそのままだった。車いすに乗ったアブラハムは、一人でその家のドアの前に進み、恐る恐るドアをノックする。反応のないドアの前で、懐かしさと怖さの入り混じったアブラハムの顔が一瞬安堵の表情になり、次の瞬間、祈りの表情に変わったように見えたのは私だけだろうか。応答のない入り口から急いで離れ、裏庭に廻って窓から部屋を覗くと、そこには年老いたピオトレックがいて、窓際に置かれた机に向ってスーツを仕立てていた。ピオトレックもまた仕立て屋になっていたのであり、彼は七十年間その家に住み続けていた。

ピオトレックとの再会は、実に穏やかだった。窓越しにアブラハムと目があったピオトレックが裏庭に出てくると、二人はゆっくりと近づき、互いに互いを確認するとしっかり抱き合った。七十年ぶりの抱擁の後、ピオトレックが「家へ帰ろう」と声をかけ、アブラハムを家の中に誘った。そのピオトレックの発した言葉が、この映画の題名となっている。

アブラハムの「ポーランド」に対するわだかまりは、昔と変わらずにいた友人との再会によって粉々に砕けたのだろう。「口にしない」という努力は、「常に想う」ということに等しい。アブラハムの故郷への想いは複雑だが、人は最後には必ず故郷へ帰るものだ。そしてその故郷に親友がいて、自分の帰りを待っていてくれたとしたら、それだけですべてを許せる気持ちになれるのかもしれない。アブラハムの生涯をかけての長い旅路は、ようやく家路についたのであり、それがおそらく、この監督の目指した「家路」の物語である。どんなに故郷を憎んだとしても、その人のアイデンティティは故郷に根ざしており、その逃れがたいさだめゆえに、人は最期に必ず故郷を思うのである。

しかし、この涙なくしては観られない映画の中で、何よりも私の心に深く刻まれたのは、最後に発せられた「家へ帰ろう」という言葉ではなく、パリでアブラハムを助けたドイツ人女性の言葉だった。ドイツ人とわかると口をきかなくなったアブラハムに、それでも彼女は寄り添い続けた。ベルリンでの列車の乗換では、アブラハムの足がドイツの地面に触れないようにと、着替えを並べてその上をアブラハムに歩かせた。そしてその女性は、アブラハムがホロコーストの生存者と知るとこういった。

私たちはその歴史をきちんと学んできたし、責任を感じている、と。それは彼女が人類学者だから口にした言葉ではない。それが、今現代に生きている、大半のドイツ人の言葉でもある。

その言葉に私は愕然とした。なんという違いなのだろう。戦後生まれの私は、今まで「責任」を感じると口にしたことはなかったし、「責任」について考えたことすらなかった。戦争は私のあずかり知らぬ過去の出来事で、私とは無関係だと心のどこかで思っていた。そもそも私たちは、日本が行った残虐行為について教室で学ぶことはなかったし、残虐なのはお互いさま、それが戦争だと責任をすりかえてきたように思う。同じく戦後生まれの彼女が「責任」という言葉を発する一方で、私にはその発想自体がない。

ＡＩロボットで有名な石黒浩が、あるインタビュー記事の中でこんなことを話している。自分が開発したロボットをみて、世界各国の多くの人々は感嘆の声をあげるのに、ドイツ人の反応だけは異なっている。半分の人は素晴らしい仕事だと称賛するが、残りの半分は嫌悪感を示すらしい。なぜかと言えば、ドイツ人には非人間的なものへの拒否反応があり、それは非人間的な行為に走った過去を忘れない教育が行き届いているからだという。

従軍慰安婦像を街頭に設置するばかりでなく、路線バスにまで乗せてしまう韓国の人々を、執念深いと思っていた自分を恥じた。ソウルオリンピックの翌年に韓国を旅した時、同年代の韓国人学生から言われた言葉を、私は思いかえした。高度経済成長を遂げた日本の技術は素晴らしいし、日本という国には憧れもある。しかし、僕は日本人が嫌いだ。今目の前にいるあなたたちが嫌いな訳ではないが、日本人を許せないと思う。彼ははっきりそう言った。単に古代の百済や新羅を見たいと思い、「歴史」については何も考えずに旅していた私には、その言葉の意味深さが分からなかった。慶州の市場で、お前は日本人かと老女に日本語で呟かれ、目の奥をじっとのぞかれた時も、怖さは感じたがそれだけだった。彼らの深い悲しみと憤りについて、考えが及ぶことはなかったのである。

それが今、この年齢になってようやく、彼らの怒りが「責任」を感じていない私たち日本人に向けられていることがわかった。「知らない」では済まされない過去があることを、きちんと学ぶべきだった。真摯に歴史と向き合うことこそが、私たちに課された「責任」であり、世界の一員となることだとしたら、そのための教育がなされていないこの国では、真のグローバル化などほど遠いとも思った。

〈書　評〉

戦争の時代の百年を問う一冊
――立野正裕著『百年の旅』

山本恵美子

1

本書は二〇一八年に上梓されている。二〇一八年は、第一次世界大戦（一九一四年～一九一八年）の終結から百年目にあたる年であった。

著者にとって旅することは思索することであり、思索することは旅することである。本書を手に取った読者は、著者が歩んできた思索の道を辿ることになるだろう。収められているのは三つの旅だ。イタリアへの旅、フランドルへの旅、ルーマニアへの旅という三部構成になっている。いずれも、第一次世界大戦との関わりで思索が展開する。

本書を開いてまず注目すべきは、冒頭に題辞として掲げられている、「朽ちた道」という散文詩だ。「朽ちた道」という言葉は、ドイツの作家であり詩人である、ハンス・カロッサの『ルーマニア日記』からとられている。カロッサは軍医として第一次世界大戦に従軍し、ルーマニア戦線で見たことを日記や詩に記した（ちなみに本書の第三部「ルーマニアへの旅」の動機の一つは、まさにこの『ルーマニア日記』である）。

わたしがこの詩から受けるのは、「わたしたちは絶望の時代を生きている」という感覚だ。そう、絶望が、旅の始まりなのである。

第一次世界大戦後の世の中を「戦後ではない、戦前だ」と語った、スティーヴン・ヴィンセント・ベネーの詩「一九三五年」が思い起こされる。わたしたちは今、戦争の概念を変えた第一次世界大戦から百一年目の世界を生きている。その間、第二次世界大戦および太平洋戦争があり、原爆投下があった。

一九四五年八月よりあとの時代を日本では一般に戦後という。しかし、一九四五年以後においても、世界中で戦争のなかった年は存在しない。絶えず、数えきれないほどの戦乱が世界各地で勃発しているのである。核保有国は核の抑止力という論理で核兵器を正当化するが、歴史は核兵器が戦争やテロリズムの暴力を防いでなどいないことを証明している。核兵器が行使されない代わりに、無数の兵器が開発され、大量殺戮の道具としてその活躍の場を拡大してきたのだ。

人類は朽ちた道を延々とつくり出している。

著者が関心を寄せてきた第一次世界大戦の影響を受けた文学は、戦争が暴露した人間の非人間性に対する避けがたい絶望とたたかうところから、まさに始まっている。百年の旅とはそのたたかいが百年続いていることを意味し、著者はそれを引き継いでいるのである。

2

第一部「イタリアへの旅」は、アメリカの作家、アーネスト・ヘミングウェイ著『武器よさらば』の主人公の戦線逃亡の道を辿る旅である。ヘミングウェイの代表作であるため説明は不要かと思われるが、主人公のフレデリック・ヘンリーは第一次世界大戦下、アメリカから志願兵としてイタリアにやってきた青年である。

著者はヘミングウェイが終戦から十余年を経て『武器よさらば』を上梓していることに着目し、喪失の体験を回想し物語ることのむごさを作品の内部に見る。

「十年近くも時間が経過したのち、主人公がその出来事を思い出して現在形で語るとき、すでに自らは一部始終が果てたあとの茫漠とした空虚さのなかにいるのです」と著者は述べている。

ヘミングウェイやその同時代の作家たちはロスト・ジェネレーションと呼ばれるが、著者の論考に導かれたわたしは、「そうだ、文学者である彼らは、喪失そのものの苦しみに加え、喪失を物語るむごさをも味わった人たちなのだ。いかにその行為がむごいことでも、喪失を物語ることを自らの使命と感じた人たちだったのだ」、と一人、感銘に打ち震えた。

著者は特に、『武器よさらば』の第二十九章と第三十章に注目している。第二十九章ではイタリア軍が泥濘にまみれた悪路を退却するなか、主人公ヘンリーは、自分の命令を無視し、身動きの取れなくなった車を見捨ててその場を去ろうとした下士官に向かって、ためらいもなく発砲する。一人は主人公の銃弾によりその場に崩れ落ちた。

続く第三十章では、主人公はスパイの容疑で戦場での即決裁判にかけられ、銃殺されそうになる。辛くも川に飛び込み危機を脱した主人公は、前章で自らが銃殺した下士官よりもいっそう意識的な逃亡者となるのだ。

著者は次のように考察している。

「自らが危うく逃れた即決裁判と銃殺刑とが理不尽以外のなにものでもないとすれば、それに先立って描かれた主人公自身の行為もまた理不尽そのものと言わなければならない。その理不尽さこそ、戦争と暴力の本質に関わっているにちがいない。しかも、それは主人公の外部に存在しただけではなかった。それはかれの内部にも存在した」

ヘンリーが見た戦争の暴力や不条理だけでなく、ヘンリーの内部にある暴力にも目を向けよ、と著者は言っているのだ。ヘンリー自身は必ずしもこの問題に自覚的ではない、とも著者は指摘する。

『武器よさらば』というタイトル自体が、強烈なアイロニーをもっていることが、著者の考察によって明らかとなっていく。「武器よさらば」と宣言するとき、戦場に別れを告げるだけでは、戦争の刻印から逃れることはできない。その本質を自己の内面との関わりに則してとらえようとするのでなければ。主人公によるその追究が不十分であるなら、それを行うのは読者の責務にちがいない。

3

第二部「フランドルへの旅」のアンダートーンを成すのは、兵士たちの墓である。

イギリスの作家ラドヤード・キプリングは、最愛の息子ジョンを第一次世界大戦で失った。ジョンは、一九一五年にフランスの戦場で生死不明となった。

すでにノーベル文学賞を受賞し、大英帝国の国民的作家となっていたキプリングは、宗主国たる大英帝国を愛し、帝国主義を支持し、戦争の大義を疑わなかった一人だった。そのキプリングが、最愛の息子を戦場で亡くし、墓すらも見つけられないままこの世を去った。

著者はこのキプリングの皮肉な運命に悲哀の念を示すとともに、キプリングの喪失に対する態度に敬意を惜しまない。キプリングは「『息子に死なれて悲しい』ではなく、『ここに息子に死なれた一人の父親がいる』と書く作家である」という。著者はそこに堅忍不抜の精神があるとし、彼の戦後の作品にはその精神が貫かれていることを見出す。キプリングもまた、ヘミングウェイと同じく、喪失を物語るむごさに向き合った作家であるということが読者にもわかる。

　ところで、第一次世界大戦で初めて使用された兵器の一つに毒ガスがある。膠着する塹壕戦を打開する新兵器として開発された。空気よりも重たい物質を使用した毒ガスがノーマンズランドの地面を這って敵方の塹壕にまでたどり着く。何も知らない塹壕の兵士は正体不明の攻撃に恐怖に陥った。その恐怖はいかほどであったか。

　著者は毒ガスについて次のように述べている。「有毒ガスは文字どおり外的空間を窒息させる」と。空間調節能力を失った人間は閉所恐怖症、ないしはその対となる広場恐怖症に陥らざるを得ないのだと。今、われわれが生きている現代は、まさに人間が自らの手で自らを窒息させている時代ではないか、と著者は問うている。

　さて、フランドルへの旅の中で、著者はフランスにあるヴィミーの丘も訪れている。そこに建てられた戦没者の追悼碑を見るためだ。ドイツ軍はヴィミー丘陵に地下壕を掘り、大量の爆弾を仕掛けていた。一九一七年、カナダ軍がドイツ軍から奪還に成功したが、兵士の多くが地雷の犠牲となった。兵士たちは五体を吹き飛ばされたため、一人ひとりに墓標を立てることはできなかったという。

　ヴィミー丘陵は戦後、フランスからカナダへ永久貸与されることとなった。一九三六年に戦没者を追悼する巨大な記念碑が完成する。モニュメントの壁面には犠牲者の氏名がびっしりと刻まれているという。

　表紙の写真がそれである。撮影は著者による。そびえ立つ記念碑の迫力もさることながら、その前を颯爽と歩く女性の姿が印象的だ。おそらく本書の読者は、終章まで読んだとき、表紙の女性に込められた著者の思いに気づくことだろう。

4

　第三部「ルーマニアへの旅」は、カロッサの『ルーマニア日記』とルーマニアの国民作家リビウ・レブリャーヌの『処刑の森』、そして、急逝した知人女性に導かれた旅である。ここでは、第一部、第二部とは異なる第一次世界大戦の側面に焦点が当てられている。第一次世界大戦は宗主国だけでなく、植民地を巻き込んだ闘いであったことを忘れてはならない。

　『処刑の森』はオーストリア＝ハンガリー帝国の軍人であるルーマニア人将校が、祖国ルーマニアがオーストリア＝ハンガリー帝国と反対の立場で第一次世界大戦に参戦したことにより、祖国と敵対するというジレンマに苦悩する物語である。

レブリャーヌの弟も小説の主人公のようにハンガリー軍に従軍したが、祖国がハンガリーに宣戦布告するに至り、祖国に銃を向けることへの懊悩から逃亡を図ったところを捕えられ、脱走罪で処刑された。著者のルーマニアへの旅の主要な目的は、その弟の墓を見ることだった。

著者は現地の人々との交流を重ねながら、目的であるレブリャーヌの弟、エミールの墓に辿り着く。そしてさらに、教養あるルーマニアの女性の案内で、実際にエミールの処刑が行なわれた場所に立つのだ。

また、レブリャーヌのほかにもう一人、著者が言及するルーマニアの文学者がいる。詩人のミハイ・エミネスクである。著者は印象的なエミネスクの詩の一節を紹介している。ここにも一部、引用したい。

銘記せよ、時間の碾き臼が
心の星をすりつぶしてしまおうとも
ひとたび放たれた光の愛は
こうしてなおも燃え続ける

カロッサの「われらはみな、朽ちた道を行く」という言葉に深い共感を示す一方で、心のうちに光を宿し輝き続けることも、人間には可能だというエミネスクの詩を愛する著者がいる。このエミネスクの詩は、終章を暗示しているようでもある。

「朽ちた道」に著者のニヒリズムを見たわたしだったが、終章で語られるのは、若く力強い精神の息吹との思いがけない出会いである。

少女は一昨年の沖縄全戦没者追悼式で詩の朗読を行った、沖縄県在住の中学生（当時）、相良倫子さんだ。彼女が朗読したのは「生きる」と題した自作の詩。7分弱にわたる朗読を、一度も原稿を見ることなく、まっすぐに前を見据えたまま、彼女はやり遂げた。その声にも表情にも、力強さと凛々しさが満ち溢れていた（朗読の模様はYouTubeで見ることができる。「相良倫子」「平和の詩」などで検索すれば容易に見つかるので、ぜひご覧いただきたい）。

終章を読み、わたしの脳裏にはさきほどのエミネスクの詩の一節が去来した。そして同時に、表紙の女性の姿がにわかに脳裏によみがえってくるようであった。本書は次の百年への旅の始まりでもあるのだ。


（彩流社刊、二五〇〇円＋税）

〈エッセイ〉

母なるものの聖なる羞恥
――読書ノートから

梅川俊平

母親は、息子のただならぬ気配に胸騒ぎを覚え、寝間着姿のまま寝床から飛び出した。息子は屋根裏に駆け上がりそこから下の中庭に飛び降りた。母親が止めるいとまもなかった。アルフォンス・ドーデーの『風車小屋便り』（岩波文庫）に収録されている短編小説「アルルの女」の最後は、恋に果てた息子の死骸を抱きながら母親が嘆き悲しむ場面で終わっている。「死んだ子供を両腕で抱いて胸も露わに」とある。こと切れた息子を両腕に抱え、寝間着の胸元をかき合わせることも母親は忘れているのである。

ところが、阿部昭の『短編小説礼讃』のなかの同作品からの引用の訳によれば、「死んだわが子を抱きかかえて嘆き悲しんでいる、肌もあらわな母親であった」となっている。このくだりを解説して阿部は次のように言う。

「『肌もあらわな』とは、『寝間着のまま、はだしで』ということであろう」

だが、「胸も露わに」と「寝間着のまま、はだしで」とはだいぶおもむきを異にするようである。

原文がどうなのか分からないまま書いているのだが、「はだしで」よりも「胸もあらわに」とわたしはここを解釈したい。

思い浮かべられるのは、寝間着の前がはだけ乳房が見えるのもかまわずに、というようなしどけない光景である。だが、そこにあえてこだわるのは少しばかりわけがあるからだ。

ホメロスの『イリアス』第二十二歌にこういう場面が

ある。いましも戦闘におもむこうとするトロイア方の英雄ヘクトールを、母親ヘカベーが必死で止めようとする。城壁に駆け上がり、乳房をあらわに示しながら、ここにアイドースを感じておくれ、と息子に懇願する。アイドースとは羞恥の意味である。

老女とはいえヘカベーはトロイア王の妃である。羞恥を感じなければならないのは城壁に立った母親自身のほうであろう。すなわちその言葉が用いられる文脈は、われわれの常識からすればずれているように見える。しかし、ギリシア人がその言葉をしかるべき仕方で用いる術を知らなかったなどということはとうてい考えにくい。

正しく用いられたにもかかわらず、われわれの常識に対立しているとするならば、それはその語が指し示す意味内容が、われわれの常識からはすでに失われているからではないか、と考えるほうがいっそう理にかなっていよう。

カール・ケレーニイの『神話と古代宗教』がわたしに思い出される。アイドースという言葉の意味が指し示すものをケレーニイは考察した。それによれば、王妃である者がはたの目もかまわず、乳房をあらわにして息子を待ち受ける非業の運命に対するおののきと不安を示すとき、そこにはいっさいの価値に立ち優って母なる存在の普遍的でもあれば根源的でもあるような秩序がほとばしり出ているのだ。

ギリシア文明が、わが子への母親の情愛というものをどれほどの深さにおいて把握していたか。ホメロスの叙事詩は母の愛情の根源性を、たしなみとか慎みといった現世的秩序とときに対するもう一つの秩序とみなした。そしてそれを人間性の根本をなす自然として、最もホメロス的な場面の一つで表現したのである。ドーデーの名作「アルルの女」は、まさにそのような意味での母の愛の根源性を、遠い残響として伝えている。

〈評　論〉

明治から令和の虚妄を撃つ

――北村透谷の闘い

牧子　嘉丸

はじめに

一昨年政府は「明治150年」とし、「明治の精神に学び、日本の強みを再確認する」と強調して、諸行事を押しすすめようとした。これはかつて「世界至上まれにみる驚異的な発展を国を挙げて祝う」として「明治百年」を祝し、ナショナリズムの高揚をはかったことの再来だったが、さほど盛り上がらなかった。さらにはまた「令和元年」を言祝《ことほ》ぐことで、何か新時代が訪れるような幻想をふりまいている。

明治・大正・昭和・平成・そして、令和と何かそれぞれの時代に特色があるかのように思いこまされているが、果たしてそうか。

ちなみに時の宰相は明治50年（1918年）が初代朝鮮総督になった寺内正毅、明治100年（1968年）が満州国産業部次長でありA級戦犯容疑者であった岸信介の実弟佐藤栄作であり、150年目がその岸と佐藤を祖父・大叔父にもつのが現首相である。一見不思議なめぐりあわせにみえるかもしれないが、明治の政治が伊藤博文からはじまり、山県有朋・桂太郎とつづき、戦後なお岸・佐藤・安倍という長州人脈の支配から免れていないという証拠でもある。元号史観に隠された裏には、吉田松陰以来のアジア侵略のどす黒い血が受け継がれてもいる。

こうした状況で私はふと疑問にかられる。明治維新から150年余、そもそも日本の近代化はどう出発したのだろうか。富国強兵や殖産興業は日本の平和や民政にどう影響したのか。維新革命の根本であった四民平等や万機公論は果たして実現したのか。また人権や立法権は確立され、人民の自由や民権は保証されたのだろうか。何よりも立憲と帝国のはざまで当時の民衆はどう闘ったのだろうか、と。

ここに明治初期に自由民権運動とも関わり、もっとも尖鋭的な感性を持つといわれた詩人・文学者の作品を紐解いて、当時の民衆意識や世相を尋ねてみたい。その詩人とは透谷北村門太郎である。

1

北村門太郎は、1868年明治元年に生まれた。その前年の慶応三年には夏目金之助が誕生している。ふたりはまさに明治の子として生長し、やがてそれぞれ透谷、漱石と号して文学活動を始めることになる。

その透谷は明治二十七年に悲劇的な最期を遂げるのだが、漱石はこのときまだ大学を卒業したばかりで、神経衰弱が昂じて鎌倉円覚寺に参禅したりしていた。後に明治の文豪とよばれる漱石のいわば長い雌伏期のはじまりであり、煩悶期の真っ只中でもあった。四十歳から作家として本格的にスタートをきる漱石にくらべて透谷の出発がいかに早く、またその生涯がいかに短かったかがわかる。

同じく短い一生を送った明治の文学者に石川啄木や樋口一葉がいるが、透谷はこのふたりの盛名にくらぶべくもない。同じ詩人として、啄木の歌は多くの人に諳んじられてきたし、一葉の流麗な文章と作品を思い出せない人もまれだろう。私たちはまたふたりのさまざまなエピソードを知っている。

では、透谷についてはどうか。作品や人物像についてなかなかイメージがわかないのが正直なところではないか。かくいう私自身もそうであった。

透谷が広く親しまれない理由は何と言ってもその文語体・漢文調の文章にある。今日のような活字離れ・読書離れの状況ではこれからますますなじみにくい作家になっていくのではないか。

透谷研究会によって編集された著作「北村透谷とは何か」のなかの討論で、透谷の現代語訳があってもいいのではないかと詩人の北川透は発言している。が、このときからすでに十数年経っているにもかかわらず、実現していない。

透谷は今もさほど多くの一般読者を得ているとは思えないが、専門家・研究者は多い。

「近代文学史上、透谷には、その作品の質・量に比して、ふつりあいな数の研究者がいる」と指摘し、その理由を中江兆民のような同時代の「巨人」に較べて作品の数が限定され研究しやすいためか、また「夭折」「自死」のもたらす感傷の特権からか、と批判するむきもある。

これは上野千鶴子が「透谷の百年」として特集された岩波の雑誌『文学』(1994年・春)に寄せた論だが、いかにもこの人らしい率直なもの言いである。おまけに透谷の死んだ年齢をこえてその倍以上生きながら「なお、彼ののこした限られた作品を、断簡零墨《だんかんれいぼく》にいたるまでひろいあげ、くりかえし論じつづけるひとの気持ちが知れない」と辛辣である。まさに身も蓋もない批判とはこのことだが、しかしどこか透谷研究者や専門家の閉鎖性を外部から突いていて痛快でもある。この誌面にはまた色川大吉・桶谷秀昭・平岡敏夫という錚々たる顔ぶれが一同に会して登場しているが、この上野さんの発言をどう読んだだろうか。

透谷の研究書は非常に多い。作品そのものの読解が難しいのに、それを論ずる批評もまたどれもこれも難解である。いまや古典ともいうべき「座談会明治文学史」に透谷についての項があり、「透谷の徒」を自称する小田切秀雄を招いて話し合っているが、ほとんどメンバーである権威者でもある勝本清一郎の独壇場である。透谷の精神病理から、宗教・哲学まで及んで、縦横無尽にその蘊蓄を語り尽くしている。

後半途中で「だいぶ論じたけれども、えらい、透谷というものはむずかしいことになってしまったね」と長老格の柳田泉は笑って、「透谷の文学というものは、もっと簡単直截なものじゃないですかね。若いのだし、思想のまとまらないところもあったし、熟しない点もあるにはある。そういう透谷というものがこんなにむずかしいものになっちゃって……。」と嘆声とも本音ともつかぬ感想を洩らしている。

いったい専門家でもどれぐらいの人がこれらの論議を理解できたのだろうか。すくなくとも、これでは一般読者に透谷の「簡単直截《ちょくせつ》」な魅力が伝わらないことだけはいえる。

なぜ透谷を論じる多くのなかから、その作品を現代人にも読めるように口語訳したり、わかりやすい注釈・注解をつける研究家が出てこないのか不思議である。ただし、二三編はあるのだが。

また、面白いのは透谷研究者の特徴が、それぞれの政治体験や戦争体験がモチーフになっていることである。筆頭は小田切秀雄の戦中の学生運動の挫折体験であったり、最近亡くなった透谷研究の一権威とも言うべき平岡敏夫の「見事に足をすくわれた『屈辱』の記憶」であったり、三好行雄の「人生二十五歳」という合言葉を信じ込まされた戦争体験である。

これは戦後世代にもつづき、「その頃スターリン批判やハンガリー事件につづいて、学内での学生運動の組織の末端における上から卸ろされてきたある方針をめぐって主体性を欠いていた私は恐怖と絶望のどん底につき落とされ、一種のノイローゼ状態に陥った」という篤実な透谷研究家小沢勝美の深刻な告白がある。

なかには透谷の「楚囚之詩」を読んで電気に打たれたような衝撃をうけ、以後のめりこむという体験を綴ったものもある。学園紛争での政治的挫折から、透谷の文学に行き着いたという例も多いが、問題は以後透谷の精神とどれほどつながりえたかである。

文語漢文体は誇張・大仰などの紋切り型になりやすく、自己陶酔的な詠嘆調に陥りやすい。透谷の場合も若さゆえのナルシズムや独善的思い上がりや、また過剰に傷つきやすい感傷性なども見られる。たしかに透谷の倍どころか三倍も生きようかという長寿高齢社会にあっては、その純粋性ばかりでは生きてはいけないのであるが、しかし、長く生きることで失われた新鮮な感性や真摯な批判を透谷を読むことによって取り戻せることもある。この透谷の原初的な批評精神をかりて、明治から令和の虚妄を撃ちたいのであるが、どうだろうか。

私はもとより透谷についてよく知るものではない。ただこの詩人に惹かれ、その批評精神に限りない魅力を覚えるのである。そんな程度の読者にすぎないが、研究者や専門家でないアマチュアの視点で、市民感覚が出せるかもしれない。いささかおぼつかないが、透谷入門ないし案内として、読者におつきあいを乞う次第である。

2

透谷は明治二十二年に「楚囚之詩」を自費出版している。これが一応世に問うた最初の作品で、二十二歳の時である。しかし、思うところあってか、出稿間際で中止、すでに印刷されたものは裁断して破棄したといういわくつきの処女作であった。そのとき破砕を免れたものが今日に伝わっているのである。

十六節からなる叙事詩で、「嘗つて誤って法を破り、政治の罪人として捕はれたり」と書き出されている。なお、透谷の詩文は独特の句読点や変体仮名などの用字用語が煩瑣なので、引用は読みやすくし適宜改行した。

つづいて、「余と生死を誓ひし壮士等の　数多《あまた》あるうちに余は其首領なり」とつづく。現在囚われているのは、政治囚で主人公はそのリーダーであることがわかる。そ

して、その捕縛理由については、

「嗚呼楚囚！　世の太陽はいと遠し！

ああ此は何の科《とが》ぞや？

ただ国の前途を計りてなり！

嗚呼此は何の結果ぞや？

此世の民に尽くしたればなり！」

つまり、冒頭の「誤って法を破り」は、ここでは決して過失や犯罪を意味するのではないことになる。まさに憂国愛民こそが囚われた理由である。隣りの獄舎には四人の若き壮士がおり、うちひとりはこの主人公の花嫁である。がそれも束の間、同志とも引き離され、孤独のなかに沈みながら、迷い込んだ蝙蝠《こうもり》を捕らえてみるがそれも空しい。

やがて、厳しい冬を迎えて懊悩《おうのう》するが、春を告げる鶯の声に一縷の望みを託す。しかし、それも飛び去り、絶望の果てにここを墓所と思い定めたときに、突然大赦で許され、愛する花嫁や朋友同志たちに迎えられて終わるという内容である。

この詩は分からないところがいろいろとあるが、私がもっとも理解できないのは、なぜ出版間際になって、「熟考するに余りに大胆に過ぎたるを慚愧したれば、急ぎ書肆に走りて中止することを頼み直に印刷せしものを切りほぐしたり」したのか、ということである。

「大胆に過ぎる」とは、内容的にか、あるいは政治的にか、何かしら検閲を怖れたのだろうか。もちろん、そんなことではない、もっと深い内面的理由があったのだろう。

今日、私たちは透谷についてその短い人生を画するふたつの大きな出来事を知っている。ひとつは自由民権運動に早くから参加しながら、やがて離脱したこと。もうひとつは石坂美奈との激しい恋愛と結婚である。この詩の背景にそれが反映していることは間違いないだろう。

透谷の民権運動の関わりはどの程度であったかよくわからないところもあるが、生前未発表の「富士山遊びの記憶」という紀行文の草稿と「三日幻境」という作品により具体的に述べられている。

「われは髪を剃り杖を曳《ひ》きて古人の跡を踏み、自から意向を定めてありしかば義友も遂に我に迫らず、遂に大坂の義獄に与らざりしかも、我が懐疑の所見朋友を失ひしによりて大に増進し、この後幾多の苦獄を経歴したるは又た是非もなし」

明治十八年、自由党左派の大井憲太郎らが朝鮮革命を計画。これに参加した大矢正夫から資金獲得のために強盗決行を誘われときの回想である。後に島崎藤村がしたように漂泊の姿になってこの計画への参画を断り、盟友たちと決別したのであった。

大矢は年少の友を面詰・面罵もしなかった。なぜなら、この計画を打ち明けられた大矢たち自身もまた三日三晩懊悩して、承諾したからであったろう。

この大矢正夫は民権運動で知り合った五歳年長の同志であり、透谷が心から慕った先輩・友人であった。後に藤村が折に触れて透谷を回想・称揚したように、透谷もまた大矢に兄事した。透谷研究の伝説的権威とでもいうべき勝本清一郎は、生前この大矢の回顧録ないし回想録のたぐいさえ見つかれば、透谷と民権運動の全容は明らかになると言っていた。それがいま「大矢正夫自徐伝」としてそれを読むことができる。しかし、最初のほうに「北村門太郎」と「北村透谷」という名前が一回登場するだけで、ふたりの交友・交情を表すような何の記述もない。すでに透谷の年齢を倍以上生き、苦難を閲した大矢にとって、透谷との青春の邂逅と別れは遠いものだったのだろうか。それとも、文士としての姓名を傷つけたくなかったからだろうか。

この自伝発見のいきさつと内容については色川大吉氏の解説があり、それなしには到底読みこなせない文語漢文体のものである。

このときもし、透谷が目的のためには手段を選ばぬという愚劣な政治主義に囚われていたらどうなっただろうか。大矢は「愛国無罪」の信念のために犯罪に手をそめ、朝鮮での軍人の手先として壮士などもが加わったとされるミンピ殺害事件などにかかわりをもつ。またその後の転向ぶりは解説に詳しい。そして、それが大矢の人間的堕落・退廃でないだけにあまりにも悲しい。

私たちは政治目的のために強奪・誘拐・暴行・爆弾テロ、そして暗殺などの手段を行使した結果、無惨な結末を見てきた。それは左右のイデオロギーや民族・宗派間の闘争とくりひろげられてきた。そして、それらが敗北に終わったとき、必ず出てくるのが「心ならずも」という弁明であった。内心では逡巡・違和を覚えたが、周囲の雰囲気で反対できなかったという言い訳である。

最近、私はある新左翼党派の幹部であった人物が、党派離脱に至るいきさつを書いているのをたまたま読んだが、その内幕たるやブルジョワ政治家もかくまではと思わせられるほどの権力闘争と保身、それにともなう金銭的腐敗や人間的堕落が描かれているのに驚いた。そして、この人もまた今にして他党派への暴力・殺戮《さつりく》には反対だったというのである。「連合赤軍」のリンチ殺人事件もそうだが、その後長く続いた内ゲバによる死傷者に何と言い訳するのだろうか。戦争による自決や特攻隊による自爆なども、みな反対できない雰囲気のなかで志願させられたのであった。死よりも卑怯・未練を怖れる日本人の心理を悪用した結果である。

無辜《むこ》の人民をたとえ正義の目的であろうと傷つけ奪うことはできない。透谷はそう判断したからこそ参加を拒絶したのである。これはかれの詩人的感性ないし直感を貫いたからでもある。同時に、自由やら民権やらと称する運動のなかに、壮語を専らとする軽佻浮薄の徒がいることも知っていた。

このとき、透谷は政治から文学へ転向したのであるとよく言われるが、これもおかしい。強盗・強奪などは政治運動とは無縁であり、むしろ民権家としても節義を保ったのではないか。しかし、友を失った悲しみは大きく、またその友が獄中で呻吟していること思えば、透谷のできることはその苦しみを自己に仮託して表現することではなかったか。「楚囚之詩」の背景には透谷の青春期の痛切な体験が想像できる処女作といえるだろう。

私たちはみな「心ならずも」で生きている。心ならずも慣行に従い、追従し、忖度し、虚飾に生きている。そして、いつの間にかそれに慣れて、慢性化し惰性と化してしまう。そんなときに詩や文学や音楽・絵画は失われた初心ともいうべきものを気づかせ、取りもどしてくれる。それが優れたものであるならば。明治の初期を駆け抜けた透谷は、私たちに何を気づかせ、取りもどさせてくれるだろうか。

3

私などが透谷を知ったのは、作品そのものよりも、岩波の雑誌『文学』誌上で交わされた三好行雄と谷沢永一との論争であった。もちろん、透谷の名前を知らなかった訳ではないが、明治の文学者としてもどこか遠いつかみどころのない存在で、具体的な作品も読まなかった。というより、ろくに勉強もしない学生には読めもしなかったのである。

上記の論戦のきっかけになったのは女性研究者が定評のあった勝本清一郎編纂「透谷全集」における表記の不備・不統一を突いたことであった。これを三好が上記雑誌の『文学のひろば』欄で軽くいなし揶揄したのである。谷沢はすぐさまこれに反論して、三好も応酬した。

今思えばこれは、桶谷・平岡・色川氏らの本質的な透谷論争とはちがい、最後は透谷そっちのけで方法論の違いに始終したように記憶している。結果は東京大学の権威を笠にきた三好の分が悪く、口達者で論戦巧者の谷沢が言い勝った感があった。後に谷沢は「論争必勝法」という本でこのときのことを回想して、その動機を明かしている。それは、三好が若い女性研究者であることと私立大学出身者であることをなめてかかったことへの反感であったと谷沢は書いている。

この女性はのちに「一字一句をゆるがせにしない」優れた透谷研究者になったが、この論争の渦中にあって「刺身のつま」にされたと述懐している。谷沢は自身のコンプレックスと権威に驕る東大教授への憤懣をこの若い学徒の論文を「つま」にして晴らしたのである。このあと谷沢は吉本隆明との「滑稽な論争」でこれまた凱歌をあげることになる。

それはさておき、透谷の名を高からしめた論争が山路愛山との「人生相渉論争」である。これは愛山が「頼襄を論ず」（明治二十六年『国民之友』）で、「日本外史」の著者頼山陽の業績を高く評したものであるが、冒頭の「華麗の辞、美妙の文、幾百巻を遺して天地間に止るも、人生に相渉らずんば是も亦空の空なるのみ」と説いた文学効用論に猛烈に反撥して、文学自律を唱えたものである。

透谷の息もつかせぬ論駁のテンポは見事で、十分理解出来たとは言いかねるが、やはり迫力のある筆致は感じとることはできる。いま、この論争の内容については多くの論考があり、私などが口出しするには及ばないが、ここでは同時代人の証言をかりて、この論争の背景を見てみたい。

島崎藤村は「破戒」につぐ自伝的小説「春」で、主人公岸本捨吉が慕う青木は透谷をモデルとしていることは言うまでもない。同じく『文学界』の仲間として登場する菅のモデルは戸川秋骨である。その秋骨に「至純狂熱の人北村透谷」という故人を偲んだ一文がある。そこで透谷の日頃の思想態度をこう述べている。

「座談はいつも政治、宗教、そして思想の問題に亘つていたが、これを具体的に言へば、甚だしく民友社一流の考を嫌ひ、それを敵視して居た。無論思想問題にふれず、宗教問題には没交渉であり、形而下の事のみあくせくしている実世界は、透谷君の敵とする処であるべき筈であるが、それよりもむしろ自分に近い、宗教の立場にありながら、思想の問題を扱ふに実利を第一義とした民友社一派の考が透谷君にはいやであつたのであろう」

そして、「そういふ考が具体化して君の『人生に相渉るとは何の謂ぞ』といふ頗る痛快な論文となつて顕はれたのである。そして民友社の代表としての愛山君を目のかたきとした。私は一も二もなく透谷君の意見に同意した」とこの論争の下地をふりかえっている。

秋骨はつづけて「のみならずその意見は今日でも益々私の固く信じて居るところである。いや少しでも文芸上思想上に理解のある人であつたならば、左様考へるに相違あるまいと思ふ。ただ左様いふ考を、当時にあつてはつきりと言明したものはなかつたのであるに、特にそれを極言したのは、たまたま透谷君の理想の高くあり、その了解の深かつた事を証するものであろう」と書いている。さすがに文学界同人で透谷を身近に見てきただけの人である。

同じく同人だった馬場孤蝶によれば、透谷の文学的功績を「一言にして云ふと、在来の文学に籠つて居た因襲的な道学的観念を破壊した。それまでの人々が持つて居た浅薄な、文学即実用主義と云ふやうなものに打撃を与へた。と云ふのが北村君の功績の一つであろう。又一方から見れば、当時の状態では、文学は洒落者の仕事、寧ろ道楽のやうに考へられて居たのであるが、それが、教育ある若い人の、真面目な精神上の欲求を満たすに足るものであるといふことを、若き人々に明らかに示したのは北村君の功績であらう。要するに今日まで進んだ、新しき文学の為めに道を開いた人、文学が今日まで渡つて来る道の飛石の一つになつた人であることはは、疑ひがあるまい」（「明治文壇の人々」）

これまた知己の言である。一方、この論争の相手である山路愛山はどうであろうか。若き日のプロレタリア文学の雄であった中野重治などは、愛山を一方的に「俗物」「小汚い実証主義者」などと決めつけて、これが定着していった感がある。無知な私などもすっかりそう思いこんでいた。

これは顔写真の影響もあってか、半覚半生で憂鬱なまなざしをむける透谷の表情にたいして、でっぷりと肥えて実業家然として納まっている様子の愛山が、愛嬌はあるがそれだけに俗っぽく映ってしまったのではあるまいか。いま思えば、不勉強なくせに生意気な書生っぽは、ろくに愛山を読みもせず、また読む能力もなく、「愛山なんて、所詮俗人だよ」などと放言していたのである。許せ、愛山生よ。この反俗的俗人根性を。

私たちはふつう論戦・論争というと文学的・思想的だけでなく、党派的・人間的にも反目敵対しているように思いがちである。時に感情的になるのは個人的な反感や嫌悪が表出するからであろう。

しかし、この論争について、愛山が論敵透谷への思い出を綴った文章を読むにつれて、己の不明をますます恥じることになる。『文学界』の藤村、秋骨、孤蝶はいわば、透谷の同人仲間であるが、「民友社中彼れと交わる最も久しきは予也」という山路愛山とも透谷は年来の友人でもあったのだ。愛山は「今や彼れ逝く、文界は多望の詩人を失ひし也、我らは愛すべき朋友を失し也。而して予は最も無邪気にして最も信頼すべき論敵を失し也」と「北村透谷君」のなかで哀悼を捧げている。

それからほぼ八年後の明治三十五年に、往時の論争をふりかえり「斯くの如き論戦も今は昔の夢となりぬ。然れども予は終生透谷に感謝せざるを得ざるものあり」と、こう回想している。(「透谷全集を読む」)

「余は今も猶彼れの所謂唯物論者たることを免れざるやも知れず。余自ら之を知らず。而も余が人間は物質以上、形骸以上、功名以上に或る要求を有せざるべからざることを信じ、而して常に現実に満足せざるべしてふ願欲を有しつつあることを得たるは是れ実に久しく地下に眠つて再び与《とも》に現世を歩むこと能はざる此一友人の恩恵に帰すべきこと多きは余の好んで告白せんと欲するところなり」

つまり、こういう意味であろうか。私愛山は今もなお透谷がかつて指摘したように形而下にのみ価値を見る唯物論者であるかどうかしれない。しかし、私が人間というものは物・形・名という金銭・地位・名誉以上のものを望まないではいられぬと信じ、この現実に満足できないという願望を持ったのは、もはや現世では共に生きることのできないこの友人透谷のお陰であることを告白したい。

そして、「たまたま透谷集に対して今昔の感に堪へず思ふ所を記す。聡明にして感情を有したる地下の故人、応に余の依然として呉下蒙たるを笑ふなるべし。地下の故人よ、嗚呼余は依然として呉下蒙たるなり」と一文を結んでいる。「呉下蒙《ごかもう》」とは、中国の故事成語からきた語で、学問的進歩のない人間をいう。しかし、「呉下の阿蒙」どころか、この刻苦勉励の人愛山をしてそう謙遜させるほど透谷は天才的詩人であったということであろうか。激しい論争はしてもふたりの友情がこわれることはなかった。これは今読んでも爽快であり、フェアーである。

ところで、さきにふれた谷沢永一「論争必勝法」にこんな一節がある。

「今までの記述を辿った読者は、論争とはなんとイヤなものか、と痛感せざるをえなかったと思う。三好行雄にしろ吉本隆明にしろ、何よりも人間のイヤラシサが腐臭を放っているからである」

こう断じて自らは一点も羞じることなきがごとしだ

が、くらべて愛山の回想のなんと清々しいことであろうか。かつての論敵にこういう追想ができる人が、中野の言ったように「小汚い実証主義をかつぎ廻った一個の俗学者」であるなどとは、到底思えぬのだが。

しかし、ここが微妙なところで、愛山は偉い学者であったのに、透谷に対して俗物・俗学者としてずっとレッテルを張られてきた。その反動としての愛山再評価が、この論争における愛山の通俗史観をも打ち消してしまいかねないのも事実である。なるほど愛山は苦労人で情誼に厚い人であった。多くの分野で業績を残した学者でもあった。しかし、このとき純文学の認識に不明な一点があった。透谷はそこを衝いたのである。

一方を高く評価するためにもう片方を不当に貶める。そして、今度はその貶められた片方の汚名を雪《そそ》ごうとして、いきおいその欠点までを帳消しにしてしまう。ここに人物評の本当の難しさがある。

4

「悲しき事の、さても世には多きものかな、われは今読者と共に、しばらく空想と虚栄の幻影を離れて、まことにありし一悲劇を語るを聞かむ」と、「鬼心非鬼心」は語り出されている。（実聞）と銘打ってあるから、実話であろう。

かつぎ売りをする八百屋夫婦には、十五になる娘と六歳の男子がいる。夫婦は実直な働き者で、楽な暮らしぶりではないが、何とか親子四人の生計を営んできた。ところが、あるときから妻に何となく気鬱の様子がみられる。その理由は「世のありさま、三四年このかた金融の逼迫より、様々の転変を見しが、別して其日かせぎの商人の上には軽からぬ不幸を生ぜしことも多かり。正直をもて商売するものに不正の損失を蒙らせ、真面目に道を歩むものに突当りて荷を損ずるやうな事、漸く多くなれりと覚ゆ」

これが書かれたのは、明治二十五年とあるから、ここでいう「三四年このかた金融の逼迫」は、あるいは松方デフレによる経済的後遺症をさすのであろうか。

「裡家風情の例として、其日に得たる銭をもて明日の米を買ふ事なれば、米一粒の尊さは余人の能く知るところにあらず。或日の事とて妻は娘を家に残しつ、小児を携へて出で行きしが、米買ふ銭を算へつつ、ふと其口を洩れたる言葉は『もしこの小児なかりせば、日々に二銭を省くことを得べきに』なりし。之を聞きたる小娘は左までに怪しみもせざりし。その容貌にも殊更に思はるるところあらざりしとなむ」

このときふと洩らした「もしこの小児なかりせば」のひとことでこの母親の心に魔がさすのである。家を出てから、何時間か経つが、母と弟はなかなか帰ってこない。日が暮れてもふたりの姿は見えない。娘は何やら気がかりで落ち着かない。

「案じわびて待つうちに、雨戸の外に人の音しければ急ぎ戸を開くに、母ひとり茫然として立てり。その様子怪しげに見へはせしものの、いかに悲しき事のありけんとは思ひもよらず。弟は、と問へば、しばし黙然たりしが、何かは知らず太息と共に、あれは殺してきたよ、と答へぬ」

結末は未読の読者のために避けるが、まさに鬼心に取り憑かれた鬼ならぬ母親の惨劇である。「あわれや子を思ふ親の情の、狂乱の中に隠在すればなるらむ。この狂乱の原はいかに。渠《かれ》が出《い》でがけに曰ひし一言、深く社会の罪を刻めり」と透谷はこの悲劇の本質を突いている。ここには柳田国男「山の人生」冒頭のあの衝撃的な事件を思い起こさせるものがある。悲劇は山間にもあれば、塵埃《じんあい》の街中にもあったのだ。

また透谷にはドストエフスキーの「罪と罰」について言及したふたつの文章があるが、そのひとつに「『罪と罰』の殺人罪」という批評がある。これは内田不知庵訳の「罪と罰」に対する様々な論評に独自の解釈をしたものである。

「殺人罪は必ずしも或見ゆべき原因によりて成立つものにあらざるなり。必ずしも報酬の理論若しくは勧善懲悪の算法より割出し得るものにもあらざるなり」と、儒教的・勧懲的な解釈を排して、「余が前号の批評にも云ひし如く『罪と罰』とは、最暗黒の露国を写したるものにてあるからに、馬琴の想像的侠勇談にある如く或復讐、或忠孝等の故を以て、殺人罪を犯さしめたるものにはあらざること分明なり。最暗黒の社会にいかにおそろしき魔力の潜むありて、学問はあり分別ある脳髄の中に、学問なく分別なきものすら企つることを躊躇《ためら》ふべきほどの悪事をたくらましめたるかを現はすは、蓋しこの書の主眼なり」と現代社会にも通じる犯罪の本質を喝破《かっぱ》している。

まさに明治150年にあたる一昨年夏、「学問はあり分別ある脳髄」が凡人には想像もつかぬ罪悪を犯して、13名が処刑されたのである。「平成」で起きた事件は「平成」で処理すべきというのが主たる理由で。

このとき、毎年我が国でノーベル賞候補に擬せられる人気作家は、自分は死刑制度の反対論者だが、この死刑には「反対できない」という奇妙なコメントを出して、司法や権力側を喜ばせた。犯罪を社会の暗黒面に潜む魔力と見たドストエフスキーにはもちろん、その意図を見抜いた二十五歳の透谷にさえ遠く及ばないのは言うまでもあるまい。

透谷の文章は、全集編纂者であり解題者でもある勝本清一郎によって、鉛のように鈍い言論や凡庸・凡俗な作品の大海のなかでも、透谷文に遭遇すれば「その独自の精神的光りと文章の稜線の切り裁ちかたは他とまぎれることが無い」と評されている。

その透谷の素晴らしい文章をもっと紹介したいが、紙幅も尽きた。最後に有名な「漫罵《まんば》」の一節を引いて、明治維新の本質に迫ろう。

「今の時代は物質的の革命によりて、その精神を奪われつつあるなり。その革命は内部に於て相容れざる分子の撞突より来りしにあらず。外部の刺激に動かされて来りしものなり。革命にあらず、移動なり。人心自ら持重するところある能はず、知らず識らずこの移動の激浪に投じて、自ら殺ろさざるものは稀なり。その本来の道義は薄弱にして、以て彼等を縛するに足らず、その新来の道義は根蔕を生ずるに至らず、以て彼等を制するに堪へず」

まさに明治150年を称揚して、学ぶべき「明治の精神」と「日本の強み」の本質がこれだったのである。そして、いま「令和」へと移動したのである。

誰も区切ることも、止めることもできない時間を支配しようという古代中国皇帝の発想した「元号」を世界で唯一ありがたく押し頂いている。そんな「令和」の人心に透谷ならどんな漫罵を投げつけるだろうか。

編集後記

▼今号の特集はいかがでしたか。現代の大衆文学は、昔とは及びもつかないほどスケールも大きく、異彩に富んで、面白く巧みに描かれています。しかし、くらべて地味な山本作品はどうか。依然根強い人気があり、読まれ続けていますし、映像化も多い。これをゲティスバーグの名演説にたとえれば「庶民の、庶民による、庶民のための文学は永遠に不滅である」とでも言えましょうか。私は人間の平等と信実を謳いあげた山本周五郎を日本文学のエイブラハム・リンカーンだと思っているのですが、ちょっとオーバーでしょうか。うるさ型で鳴らした谷沢永一さんは、「樅の木は残った」を現代文学の第一作としてあげていますが、山周文学の最高傑作であることは間違いありません。暗雲漂う国際情勢のなかで、為政者こそ読むべき作品ですが、さほどの知性も教養も感じられませんね。▼さて、前号水上勉特集を鎌田慧さんにお送りしたら、思いがけず感想を頂戴しました。私が書いた水上の古河力作論について、「見事な結末で、水上さんも納得するでしょう」とありましたが、それはないとしても、「三樹松さんの証言にこだわった方がより悲劇性が高かったでしょうが、映像の陥穽というべきでしょうか」と結ばれていて、私も大いに意を強くした次第です。お忙しいのに、ありがとうございました。

（M・Y）

＊　＊　＊

▼今号の特集の作品を、ジャンル別に分類すれば、立野、牧子は《武家もの》に、堂野前、山本、杉田は《庶民もの》に取材したといえる。周五郎の仕事は多岐にわたるが、その核心はどの辺にあるだろうか。立野筆「なぜ斬ったのか」には注目すべき一節が読まれる。「言ってはいけないことというものがある。それを言えばそれは忠義に反する。いや、それ以上になにか、人間として最も尊ばれなくてはならぬものを蹂躙することになるということがある。吉岡進之助はそれを少しも弁えなかった。若さゆえというだけでは済まされない人間の根本的な器量の問題です」。この窮極の箇所にあたり、何も感じ入ることのない人は、所詮は文学には縁なき人である。そう断言してもよい。周五郎の文学は貧しき人びとに寄り添うとはしばしば言われることである。事実、職業や身分に貴賤はないと我々に語りかける。しかし同時に、人間としての生き方には厳然と貴賤はあるのだとこの作家の言っていることを見逃してはならない。▼日本は「令和」をむかえた。「日本は」などという言い方がすでに滑稽であるが、この国はただただ軽薄である。昨年の五月一日、職場の前の通りには果てしなく日の丸の旗がはためいていた。私は苦痛を感じた。五月二四日、ようやく日の丸は取り払われたが、私は一層の苦痛に息を詰まらせなければならなかった。その日はトランプ大統領来日の日であった。今度は通りに数多の星条旗が揚げてある……そのような光景をほとんど私は幻視した。幻視？　いや、第一次大戦の戦場と精神風土を前にして、「辱められた夜にぼくは立ち会っている」といったイタリアの詩人のように、私は正気であった。旗を降ろす中身の軽薄さが、掲げていたものの軽薄さをそのまま証明している。▼今号もどうにか刊行にこぎつけた。遅れがちな発行を気にかけ、根気強くお付き合いいただいたスペース伽耶の廣野茅乃さんに特に感謝したい。表紙デザインは追川恵子さん、カットは金山政紀さんに提供いただいたことを併せて記し、ここに感謝申し上げます。

（T・I）

トルソー　第五号（二〇二〇年七月）
二〇二〇年七月一日発行
編　集　群島の会
〒101-0062　千代田区神田駿河台一－一
明治大学文学部　塚田麻里子研究室内
電話FAX　〇三（三二九六）二二二九
発行所　株式会社　スペース伽耶
〒113-0033　東京都文京区本郷三－二九－一〇
飯島ビル２Ｆ
電　話　〇三（五八〇二）三八〇五
ＦＡＸ　〇三（五八〇二）三八〇六
発売所　株式会社　星雲社（共同出版社・流通責任出版社）
〒112-0005　東京都文京区水道一－三－三〇
電　話　〇三（三八六八）三二七五
ＦＡＸ　〇三（三八六八）六五八八
印刷＝モリモト印刷株式会社

ISBN978-4-434-27805-1